James Bowen
Bob, der Streuner. Die Geschichte einer
außergewöhnlichen Katze

Weitere Titel des Autors:

Bob, der Streuner. Die Katze, die mein Leben veränderte
Bob, der Streuner. Bob und wie er die Welt sieht

Titel in der Regel auch als Hörbuch und E-Book erhältlich

James Bowen

BOB, DER STREUNER
Die Geschichte einer außergewöhnlichen Katze

Aus dem Englischen von
Ursula Mensah

Boje

Dieser Titel ist auch als E-Book erschienen.

Die englischsprachige Originalausgabe erschien 2013 unter dem Titel
»Bob, No Ordinary Cat« bei Hodder & Stoughton Ltd, London.

Für die Originalausgabe:
Copyright © 2013 by James Bowen and Garry Jenkins
Published by arrangement with Aitken Alexander Associates Ltd, London
Foto-Innenteil: © Clint Images

Für die deutschsprachige Ausgabe:
Copyright © 2014 by Bastei Lübbe AG, Köln
Umschlaggestaltung: Thomas Krämer
Umschlagmotiv: © Clint Images, Shutterstock.com (London)
Satz: Greiner & Reichel, Köln
Gesetzt aus der Adobe Caslon Pro
Druck und Einband: CPI books Ebner & Spiegel, Ulm

Printed in Germany
ISBN 978-3-414-82392-2

5 4 3 2

Sie finden uns im Internet unter: www.boje-verlag.de

In liebevollem Gedenken an Graham Jenkins und Jane Marguerita Howden, und all denen gewidmet, auf deren absolute Unterstützung Bob und ich zählen können und die immer für uns da sind. Ohne euch wären wir heute nicht hier.

Kapitel 1
Weggefährten

»Das Glück liegt auf der Straße«, sagt ein berühmtes Sprichwort. »Man muss es nur aufheben. Aber die meisten Menschen gehen achtlos daran vorüber.«

Im Laufe meines Lebens habe ich leider schon zu oft bewiesen, dass diese Worte wahr sind. Das änderte sich erst im Frühjahr 2007, als ich mich mit Bob angefreundet habe.

Zum ersten Mal war ich ihm an einem düsteren Donnerstagabend im März begegnet. Seit dem späten Nachmittag lag ein Hauch von Frost in der Luft. Deshalb war ich früher als sonst von der Arbeit nach Hause gekommen – ich arbeitete damals als Straßenmusiker in Covent Garden, dem Ausgehviertel von London.

Der Aufzug war mal wieder außer Betrieb, also mussten meine Freundin Belle und ich die Treppe nehmen. Die Lampe im Flur war auch kaputt, sodass wir uns an der Wand entlangtasten mussten. Plötzlich sah ich in der Dunkelheit ein Augenpaar aufblitzen. Ich ging darauf zu und fand einen roten Kater, der auf der Fußmatte vor einer der Erdgeschosswohnungen kauerte.

Er starrte mich neugierig an, als wolle er fragen: »Wer bist du denn, und was machst du hier?«

Ich hockte mich neben ihn und sprach ihn an: »Hallo, Kumpel. Ich habe dich noch nie gesehen. Wohnst du hier?«

7

Er ließ mich nicht aus den Augen, als ob er sich fragen würde, mit wem er es da zu tun hatte. Vorsichtig streichelte ich ihm über den Nacken. Damit wollte ich ihm meine guten Absichten zeigen, aber auch herausfinden, ob er ein Halsband trug. Er hatte keines. Aber er genoss die Streicheleinheiten. Sein Fell war stumpf, und ich spürte kahle Stellen. Bestimmt war er hungrig. So stürmisch, wie er sich an mich schmiegte, war mir schnell klar, dass er dringend einen Freund brauchte.

»Ich glaube, er ist ein Streuner«, sagte ich zu Belle.

Sie kannte meine Schwäche für Katzen und erwiderte mit gespielter Strenge: »Nein, James, du kannst ihn nicht mitnehmen.« Sie deutete auf die Fußmatte. »Der gehört bestimmt den Leuten, die hier wohnen.«

Belle hatte recht. Eine Katze passte momentan so gar nicht in mein Leben. Ich hatte schon genug Probleme damit, für mich selbst zu sorgen.

Am nächsten Morgen war der Kater immer noch da. Ich streichelte ihn und wieder schnurrte er vor Freude.

Im Tageslicht zeigte sich auch, was für ein wunderschönes Tier er war. Er hatte einen ausgeprägten Katerkopf und strahlend grüne Augen. Aber sein Gesicht und seine Beine waren übersät von Kratzwunden und Schrammen, wahrscheinlich war er in einen Kampf oder Unfall verwickelt gewesen. Auch sein Fell war in einem schlechten Zustand. Es war dünn und stumpf und hatte sogar kahle Stellen, an denen die nackte Haut zu sehen war. Er tat mir so leid.

Hör auf, die Katze zu bemitleiden. Kümmere dich lieber um dich selbst, schimpfte ich im Stillen mit mir. Schweren Herzens ließ ich ihn zurück, um den Bus nach Covent Garden zu erreichen, wo ich mit meiner Musik ein bisschen Geld verdienen wollte.

An diesem Abend kam ich spät nach Hause – es war schon fast zehn Uhr. Schnell lief ich in den Flur, wo ich das Rotpelzchen vermutete. Aber er war weg. Ich war enttäuscht, aber gleichzeitig auch sehr erleichtert.

Als ich am nächsten Morgen die Treppe herunterkam, blieb mir fast das Herz stehen. Der kleine Kater war wieder da und saß genau dort, wo ich ihn zum letzten Mal gesehen hatte. Er sah allerdings noch schwächer und ungepflegter aus als am Vortag. Er zitterte am ganzen Körper. Ihm musste schrecklich kalt sein, und bestimmt war er auch hungrig.

»Na, immer noch hier?«, fragte ich leise und strich ihm über den Rücken. »Siehst aber gar nicht gut aus heute!«

So konnte das nicht weitergehen. Ich klopfte an die Wohnungstür, vor der er saß.

Ein unrasierter Mann öffnete. »Entschuldigen Sie bitte die Störung, ist das Ihre Katze?«, fragte ich ihn.

Er streifte den Kater mit einem teilnahmslosen Blick. »Nein. Hab ich nichts mit zu tun.«

Er knallte die Tür wieder zu, und da wusste ich, was zu tun war.

»Du kommst jetzt mit zu mir«, informierte ich das Häufchen Elend.

Ich holte die Schachtel Trockenfutter aus meinem Rucksack, die ich immer dabei hatte, um Katzen und Hunden etwas zustecken zu können, wenn ich auf der Straße Gitarre spielte. Einladend schüttelte ich die Schachtel hin und her, und der Kater kam sofort mit.

Mühsam schleppte er sich die Treppen hinauf und ich sah, dass sein Hinterbein verletzt war. In meiner Wohnung angekommen, fand ich noch einen Rest Milch im Kühlschrank, den ich in einer Schale mit etwas Wasser mischte, bevor ich sie ihm vorsetzte. Milch ist für Katzen nämlich gar nicht so gut verträglich, wie viele Menschen meinen. In wenigen Sekunden hatte er alles aufgeschleckt.

Zum Glück hatte ich noch Thunfisch zu Hause, der zusammen mit dem Trockenfutter eine sättigende Mahlzeit ergab. Ich stellte ihm die Schüssel hin, und er verputzte alles gierig schmatzend.

Der Arme ist ja total ausgehungert, dachte ich.

Nach dem Essen rollte er sich zufrieden unter der Heizung im Wohnzimmer zusammen, und ich durfte mir sein verletztes Bein näher ansehen. Die Wunde eiterte bereits und sah aus wie die Bisswunde eines Hundes oder Fuchses. Er ließ mich die Verletzung mit Wasser abtupfen und sogar mit Wundspray behandeln. Die meisten Katzen wären durchgedreht, aber er blieb ganz ruhig liegen und sah mir interessiert zu.

Den Rest des Tages verbrachte er unter der Heizung. Zwischendurch erkundete er meine Wohnung, sprang überall hoch und kratzte an allen Möbeln. Er war ein richtiges Energiebündel. Ein junger, unkastrierter Kater eben, die sind meistens sehr wild und ungestüm.

Als ich abends zu Bett ging, folgte er mir ins Schlafzimmer und kuschelte sich am Fußende meines Bettes zu einem Ball zusammen. Sein sanftes Schnurren in der Dunkelheit weckte in mir ein längst vergessenes Gefühl von Geborgenheit. Ich war nicht mehr allein – zum ersten Mal seit langer Zeit.

Am Sonntag stand ich früh auf, denn ich wollte versuchen, den Besitzer meines neuen Mitbewohners ausfindig zu machen. Es gab immer irgendwelche Aushänge von vermissten Katzen an Straßenlaternen und Bushaltestellen in der Nachbarschaft. Nur für den Fall, dass ich den Besitzer gleich fand, nahm ich den Kater mit. Dafür bastelte ich eine Leine aus mehreren Schuhbändern, die ich ihm zu seinem Schutz anlegte. Ganz selbstverständlich lief er so neben mir die Treppen hinunter.

Draußen angekommen, zog er dann allerdings ungeduldig an dem hinderlichen Strick. Wahrscheinlich wollte er sein Geschäft erledigen. Ich nahm ihm das Band ab, woraufhin er sofort in den Büschen vor dem Häuserblock verschwand. Kurz danach tauchte er wieder auf und ließ sich die ungewohnte Leine brav wieder überstreifen.

Der vertraut mir ja blind, dachte ich erstaunt. In diesem Moment gelobte ich, für ihn da zu sein, solange er mich brauchte.

Auf der anderen Straßenseite wohnte eine Frau, die als Katzenmutter bekannt war. Alle Streuner in unserem Viertel wussten, dass es in ihrem Hinterhof immer Futter gab. Keine Ahnung, wie sie sich das leisten konnte.

»Ist der aber schön«, sagte sie beim Anblick meines Katers.

»Kennen sie ihn?«, fragte ich erwartungsvoll, als sie ihm ein Leckerchen zusteckte.

Aber sie schüttelte den Kopf. »Nein, den habe ich noch nie gesehen. Der kommt bestimmt aus einem anderen Stadtteil von London. Wahrscheinlich wurde der arme Kerl hier ausgesetzt.«

Ich hatte das Gefühl, sie könnte recht damit haben, dass diese Gegend nicht sein Revier war.

Als wir wieder auf der Straße standen, ließ ich ihn frei. Ich wollte sehen, ob er sich gleich aus dem Staub machen würde. Aber er sah mich nur mit seinen großen grünen Augen an, als wolle er sagen: »Ich weiß nicht, wohin ich gehen soll. Kann ich nicht bei dir bleiben?«

Wer war er? Gab es eine Familie, die nach ihm suchte? Vielleicht gehörte er einer älteren Person, die verstorben war. Oder war er etwa ein Geburtstags- oder Weihnachtsgeschenk für eine Familie, die ihn nicht mehr wollte, als er größer und wilder wurde? Besonders die roten Katzen drehen manchmal ganz schön durch und wüten in ihrem Spieltrieb herum, vor allem, wenn sie nicht kastriert sind.

Ich stellte mir vor, wie seine früheren Besitzer ihn mit einem genervten »Jetzt reicht's« am Straßenrand aussetzten.

Katzen haben einen sehr guten Orientierungssinn, dennoch hatte mein vierbeiniger Gast anscheinend nicht versucht, nach Hause zurückzufinden. Vielleicht war er bei seiner vorherigen Familie auch nicht glücklich gewesen und hatte beschlossen, sich eine neue zu suchen.

Den besten Hinweis auf sein Vorleben bot jedoch seine schlimme Verletzung. Die Wunde war bereits ein paar Tage alt und sah aus, als hätte er sie bei einem Kampf abbekommen. Demzufolge müsste er ein Streuner sein.

In London gab es schon immer viele Straßenkatzen, die ziellos herumstreunten und sich ihr Futter in Abfällen suchten oder es von Menschen mit Herz erbettelten. Sie sind in dieser Stadt unerwünscht und kämpfen jeden Tag um ihr Überleben. Viele von ihnen sind wie dieser rote Kater misshandelte, gebrochene Kreaturen.

Vielleicht hat er ja einen Seelenverwandten in mir gesehen, wer weiß?!

Kapitel 2
Die Genesung

In meiner Kindheit in Australien hatten wir eine süße, flauschig-weiße Babykatze. Wer weiß, wo sie herkam – wahrscheinlich aus einer illegalen Tierhandlung –, jedenfalls war sie von keinem Tierarzt untersucht worden, bevor meine Mutter sie nach Hause brachte. Das arme Ding war voller Flöhe.

Leider haben wir das nicht gleich gesehen. Ihr Fell war so dicht, das die Flöhe sich darin gut versteckt hatten. Als wir es endlich bemerkten, war es schon zu spät und die arme Kleine starb an Blutverlust. Damals war ich gerade erst fünf oder sechs Jahre alt. Es war ein schreckliches Erlebnis für mich, und auch meine Mutter war sehr traurig.

Bis heute denke ich oft an das arme Katzenbaby. Während ich an diesem Wochenende Zeit mit dem kleinen Streuner verbrachte, ging mir diese Geschichte nicht mehr aus dem Kopf. Sein Fell war wirklich in einem fürchterlichen Zustand. Wenn ich nichts unternahm, würde er vielleicht genauso enden wie das kleine weiße Kätzchen aus meinen Kindertagen.

Am Sonntagabend stand meine Entscheidung fest.

»Das wird dir nicht passieren«, sagte ich zu dem verwahrlosten Kater. »Ich bringe dich morgen zum Tierarzt.«

Am Montag stand ich früh auf und gab ihm eine Schüssel Thunfisch mit Trockenfutter. Da er mit seinem verletzten Bein den neunzigminütigen Fußmarsch zur Tierambulanz nicht schaffen würde, schnappte ich mir eine grüne Plastikkiste, um ihn darin zu tragen. Aber der Kater war mit dieser Notlösung nicht einverstanden und versuchte ständig herauszuklettern, sodass ich mich bald geschlagen geben musste.

»Na, komm her, dann trage ich dich eben!«

Ich wollte ihn auf den Arm nehmen, aber er kletterte gleich weiter auf meine Schulter. Dort blieb er zufrieden sitzen, und ich konnte die leere Kiste den ganzen langen Weg bis zur Tierambulanz mitschleppen.

Die kostenlose Praxis, die von der RSPCA, der größten englischen Tierschutzorganisation, betrieben wurde, war voller verletzter Hunde samt ihren schlecht gelaunten Herrchen und Frauchen. Im Warteraum saß der Kater abwechselnd auf meinem Schoß und auf meiner Schulter. Er war ziemlich unruhig. Kein Wunder, immerhin wurde er von fast allen wartenden Vierbeinern angeknurrt.

Erst nach viereinhalb Stunden wurden wir endlich aufgerufen: »Mr Bowen? Sie sind dran.«

Der Tierarzt hatte den abgestumpften Gesichtsausdruck eines Menschen, der in seinem Leben schon viel Schlimmes gesehen und erlebt hat.

»Wo ist das Problem?«, fragte er.

Ich erzählte ihm, dass ich den Kater bei mir im Hausflur gefunden hatte, und zeigte ihm seine Verletzung.

»Hm, ja, es ist offensichtlich, dass er Schmerzen hat«, sagte der Tierarzt. »Ich verschreibe Ihnen Tabletten dagegen und Antibiotika. Wenn die Wunde in zwei Wochen nicht verheilt ist, sollten Sie wiederkommen.«

»Könnten Sie bitte auch nachsehen, ob er Flöhe hat?«, bat ich.

Daraufhin untersuchte der Arzt noch sein Fell, schüttelte dann aber den Kopf:»Nichts zu sehen. Aber zur Sicherheit verschreibe ich Ihnen auch noch eine Kur gegen Flöhe. Junge Katzen sind da generell sehr anfällig.«

Als ob ich das nicht wüsste, dachte ich und sah wieder mein weißes Katzenbaby vor mir.

»Schauen wir noch nach, ob er gechippt ist«, sagte der Tierarzt.

Der Kater hatte keinen Chip, was meine Theorie bekräftigte, dass er wirklich ein herrenloser Streuner war.

»Sie sollten ihm unbedingt einen Mikrochip einpflanzen lassen«, riet er mir.»Außerdem sollte er bald kastriert werden. Diese wichtige Operation ist für Streuner kostenlos.«

Ich dachte daran, wie wild er durch die Wohnung tobte und mit mir spielte, und stimmte dem Arzt mit einem Kopfnicken zu. »Gute Idee.«

Der Tierarzt tippte etwas in seinen Computer und druckte mir ein Rezept aus. Dann waren wir entlassen. Ich ging sofort zur nächsten Apotheke und legte das Rezept auf den Tresen.

»Das ist aber ein Hübscher!«, sagte die Apothekerin in ihrem weißen Kittel.»Meine Mutter hatte auch mal einen roten Kater. Er war der beste Freund, den sie je hatte. Treu und ergeben. Wunderbarer Charakter. Er saß immer neben ihr und ließ die Welt an sich vorüberziehen. Selbst wenn eine Bombe neben ihm explodiert wäre, er wäre ihr nicht von der Seite gewichen. Macht zweiundzwanzig Pfund, mein Lieber.«

Ich zuckte unmerklich zusammen.

»Zweiundzwanzig Pfund? So viel?« Mein gesamtes Vermögen betrug gerade mal dreißig Pfund.

»Leider ja«, antwortete sie lächelnd, aber mit einem unerbittlichen Blick.

Ich legte ihr meine dreißig Pfund auf den Tisch und nahm das Wechselgeld entgegen. Das war richtig viel Geld für mich. Ein ganzer Tagesverdienst. Aber ich hatte keine andere Wahl, ich konnte meinen neuen Freund doch nicht im Stich lassen.

»Sieht aus, als müssten wir eine Weile miteinander auskommen«, teilte ich dem Kater auf meiner Schulter mit, als wir uns auf den langen Heimweg machten. »Für die nächsten zwei Wochen gehst du nirgendwohin, verstanden? Nicht, bis du alle deine Medikamente genommen hast«, legte ich die Spielregeln fest. »Wer außer mir sollte sonst darauf achten, dass du deine Tabletten regelmäßig einnimmst?«

Ich weiß zwar nicht, warum, aber ich war voller Energie, seit ich mich für ihn verantwortlich fühlte. Zum ersten Mal in meinem Leben musste ich mich um jemand anderen als mich selbst kümmern.

Am Nachmittag kaufte ich erst einmal Katzenfutter. Das kostete acht Pfund, womit dann auch tatsächlich mein letztes Geld weg war. Am späten Nachmittag ließ ich meinen schnurrenden Untermieter allein in der Wohnung zurück und machte mich mit meiner Gitarre auf den Weg nach Covent Garden. Ab sofort hatte ich zwei Mäuler zu stopfen.

In den nächsten Tagen päppelte ich den kleinen Patienten auf. Dabei lernten wir uns auch besser kennen, und inzwischen hatte ich auch einen Namen für ihn gefunden: Bob. Die Idee kam mir, als ich meine Lieblingsserie *Twin Peaks* auf DVD guckte. In der Serie kam ein verrückter Typ namens Killer Bob vor. Er hatte eine gespaltene Persönlichkeit, benahm sich meist ganz normal, konnte aber von einer Sekunde auf die nächste völlig durchdrehen. Mein roter Streuner hatte dieselben Stimmungsschwankungen. Meist gab er das glückliche und zufriedene Schmusekätzchen. Aber wenn er seine verrückten fünf Minuten hatte, raste er wie ein Irrer durch die Wohnung und attackierte mit ausgefahrenen Krallen, angelegten Ohren und fauchendem Kampfmauzen gnadenlos meine Einrichtung. Bob war definitiv der passende Name für den Kater.

Inzwischen war ich mir sicher, dass Bob ein Streuner war. Er verweigerte nämlich konsequent das Katzenklo, das ich extra für ihn gekauft hatte. Bei jedem Ruf der Natur musste ich mit ihm rausgehen. Er verrichtete sein Geschäft dann auf der kleinen Grünanlage vor unserem Häuserblock. Wenn ich ihn vor der Haustür absetzte, raste er zu den Büschen, scharrte wie wild ein Loch in die Erde und vernichtete dann jegliche Beweise, indem er alles wieder sorgfältig zudeckte.

Wir fanden schnell einen gemeinsamen Tagesrhythmus. Am Vormittag ließ ich Bob allein in der Wohnung und fuhr nach Covent Garden. Dort spielte ich so lange Gitarre, bis ich genug Geld verdient hatte, um für uns beide einzukaufen. Wenn ich nach Hause kam, wartete er schon an der Wohnungstür auf mich. Dann folgte er mir zum Sofa, und wir sahen zusammen fern. Ich brauchte nur mit der Hand neben mich auf das Sofa zu klopfen und schon war Bob da und setzte sich zu mir.

Wenn es Zeit für seine Tabletten wurde, musste ich mich allerdings etwas mehr anstrengen. »Los, Kumpel, komm mit«, ermunterte ich ihn, doch sein Blick sprach jedes Mal Bände: »Muss das sein?«, schien er zu fragen.

Aber er wehrte sich nie, wenn ich ihm die Tablette ins Maul schob und ihn dann so lange unter dem Kinn kraulte, bis er sie heruntergeschluckt hatte. Die meisten Katzen drehen schon durch, wenn man nur versucht, ihre Kiefer auseinanderzukriegen. Aber aus irgendeinem Grund vertraute Bob mir blind.

Bob war ein ganz außergewöhnlicher Kater. Einen Kater wie ihn hatte ich noch nie getroffen.

Damit meine ich aber nicht, dass er ein Engel war. Auf der Suche nach Futter randalierte er regelmäßig in der Küche und warf dabei meine Töpfe und Pfannen um. Der Kühlschrank und sämtliche Küchenmöbel waren schnell voller Kratzspuren.

Aber ich brauchte nur zu rufen: »Nein, Bob, geh da weg!«, und schon verzog er sich gehorsam. Das zeigte mir, wie intelligent dieser Kater war. Und wieder kam ich ins Grübeln über seine Vergangenheit. Würde ein Streuner wirklich auf einen Menschen hören? Ich bezweifelte es.

Ich genoss Bobs Gesellschaft, aber ich wollte mich nicht allzu sehr an ihn gewöhnen, denn früher oder später würde er seine Freiheit wiederhaben wollen. Er war keine Wohnungskatze. Aber solange er bei mir war, sollte es ihm an nichts fehlen, das war mir sehr wichtig.

Am nächsten Morgen begleitete ich Bob wieder nach unten zur Morgentoilette. Er lief immer zu denselben Büschen zwischen den Häusern. Wahrscheinlich steckte er sein Revier ab, das machen Katzen so. Wie immer dauerte es ein paar Minuten, bis er alles erledigt hatte.

Er war auf dem Weg zurück, als er plötzlich zur Salzsäule erstarrte, als hätte er etwas Ungeheuerliches entdeckt. Dann sprintete er los und hatte blitzschnell etwas im Gras gefangen.

Es war eine kleine graue Maus, keine fünf Zentimeter groß. Das arme Ding hatte keine Chance.

»Nicht fressen, Bob!«, rief ich warnend. »Mäuse können Krankheiten übertragen.«

Ich lief zu ihm hin und wollte ihm die Maus wegnehmen, doch damit war Bob gar nicht einverstanden. Er gab einen Laut von sich, der zwischen Fauchen und Knurren lag. Aber ich ließ nicht locker.

»Gib das sofort her, Bob!«

Er warf mir einen störrischen Blick zu: »Warum sollte ich?«

Zum Glück fand ich in meiner Manteltasche ein Leckerchen. »Hier Bob, für dich!«, sagte ich und hielt es ihm hin. »Das ist besser für dich.«

Er überlegte kurz und gab dann nach. Schnell zog ich die Maus am Schwanz von ihm weg und warf sie in den nächsten Mülleimer.

Katzen sind Raubtiere. Viele Leute wollen es zwar nicht wahrhaben, dass ihre süßen Fellnasen im Freien zu Mördern werden, aber das liegt nun mal in ihrer Natur. Sofern sie die Chance bekommen das rauszulassen. In manchen Ländern gibt es ein nächtliches Ausgangsverbot für Katzen, weil sie die heimische Vogel- und Nagerwelt buchstäblich ausrotten.

Bob der Killerkater hatte gerade seinem Namen alle Ehre gemacht. Seine Vorstellung als kaltblütiger, blitzschnell zuschlagender Jäger war beeindruckend gewesen. Ohne zu zögern wusste er sofort, was er wie zu tun hatte.

Ob Bob früher darauf angewiesen war, täglich seine Beute zu jagen, um etwas zu fressen zu bekommen? Ob er bei Menschen aufgewachsen ist oder schon immer in der Natur überleben musste? Wie war er zu dem Kater geworden, der er heute war? Wenn er sprechen könnte, hätte er bestimmt viel zu erzählen.

Auch in dieser Beziehung hatten Bob und ich viel gemeinsam.

Kapitel 3
Mein bisheriges Leben

Weil ich auf der Straße gelebt hatte, war ich vielen Leuten ein Rätsel.

Immer wieder wurde ich gefragt, wie es dazu kommen konnte. Wahrscheinlich, weil die Menschen dann ihr eigenes Leben mit anderen Augen betrachten und zufriedener sein können, nach dem Motto: »Und ich habe gedacht, mir ginge es schlecht. Aber es könnte echt schlimmer sein. Zumindest muss ich mich nicht so durchschlagen wie dieser arme Kerl.«

Es gibt viele Gründe, warum jemand obdachlos wird, die aber häufig gar nicht so unterschiedlich sind. Meist spielen Drogen, Alkohol und Familienprobleme eine große Rolle. Genau wie bei mir.

Ich wurde in Surrey im Süden Englands geboren. Doch meine Eltern ließen sich bald scheiden, und meine Mutter zog mit mir nach Melbourne in Australien, als ich drei Jahre alt war. Meine Mutter arbeitete dort für eine große Firma, die Kopierer herstellte, und wurde schnell eine der erfolgreichsten Verkäuferinnen.

Zwei Jahre später zogen wir schon wieder um, von Melbourne nach Westaustralien. Dort blieben wir, bis ich neun war. Meine Kindheit in Australien war toll. Die weite Landschaft war der perfekte Spielplatz, um die Welt zu entdecken, und hätte jedes Kinderherz höherschlagen lassen.

Ich hatte nur ein Problem. Durch die vielen Umzüge fiel es mir extrem schwer, in der Schule Freunde zu finden. Meine Mutter war dauernd damit beschäftigt, Häuser zu kaufen und zu verkaufen. So etwas wie ein Zuhause gab es nicht, keinen Platz zum Ankommen und Wohlfühlen.

Als ich neun war, zogen wir zurück nach England, nach Sussex in der Nähe von Horsham. Ich war froh, wieder in England zu sein, und fühlte mich dort sofort wohl. Mit zwölf hatte ich mich gut eingelebt, aber dann mussten wir wieder zurück nach Westaustralien.

Wir strandeten in einem Kaff namens Quinn's Rock, wo viele meiner Probleme begannen. Es fing schon damit an, dass ich mich überhaupt nicht mit meinem neuen Stiefvater verstand.

Dazu kam noch, dass ich es einfach nicht schaffte, mich mit der Dorfjugend anzufreunden. In der Schule war ich schon immer zu sehr bemüht gewesen, dazuzugehören. Ich wollte alle beeindrucken, was bei den anderen Kindern leider nicht gut ankam. Es führte dazu, dass ich an jeder Schule gemobbt wurde. Mein britischer Akzent und meine übereifrige Art machten mich zum Außenseiter. Ich war das perfekte Opfer.

In Quinn's Rock war es besonders schlimm. Der Ort machte seinem Namen alle Ehre, überall lagen große Brocken Kalkstein herum. Die waren wie dafür gemacht, unbeliebte Jungs wie mich damit zu bombardieren. Eines Tages, als ich auf dem Heimweg von der Schule war, sind ein paar Jungs hinter mir hergerannt und haben mich im wahrsten Sinne des Wortes gesteinigt. Einer der Steine traf mich am Kopf und brachte mir eine Gehirnerschütterung ein.

Auch in meinen ersten Teenagerjahren zogen wir weiterhin dauernd um. Es hatte immer etwas mit den Geschäftsideen meiner

Mutter zu tun. Mal hatten wir viel Geld, dann waren wir wieder pleite. Mit sechzehn schmiss ich die Schule, völlig entnervt von den Mobbingattacken meiner Mitschüler. Ich wurde zum Taugenichts, kam spät nach Hause, rebellierte gegen meine Mutter und verweigerte jegliche Regeln. Es war nur eine Frage der Zeit, bis ich mit Drogen in Berührung kam. In mir brodelte diese unbändige Wut, weil ich das Gefühl nicht loswurde, durch unser Nomadenleben meine Chance auf ein normales Leben verpasst zu haben.

Zeig mir einen Siebenjährigen und ich zeige dir den Mann, der später aus ihm wird, sagt ein englisches Sprichwort. Ich glaube zwar nicht, dass man mir mit sieben schon meine Zukunft angesehen hat. Mit siebzehn allerdings schon. Ich war auf dem besten Weg, mein Leben kaputt zu machen.

Meine Mutter versuchte alles, um mir zu helfen. Natürlich war ihr klar, was da ablief und welchen Weg ich eingeschlagen hatte. Sie durchsuchte meine Taschen nach Drogen und versuchte sogar, mich in meinem Zimmer einzusperren. Aber die Schlösser in unserem damaligen Haus waren leicht zu knacken, und ich wurde immer besser darin.

Unser Verhältnis wurde immer schlechter. Ich war ein total verkorkster, rechthaberischer Teenager. Meine Mutter muss sich damals schreckliche Sorgen gemacht haben. Aber die Gefühle von anderen kümmerten mich wenig. Die Welt drehte sich nur um mich.

Mit achtzehn flog ich nach London. Anfangs wollte ich bei meiner Halbschwester, der Tochter meines Vaters aus zweiter Ehe, wohnen.

Meine Mutter brachte mich zum Flughafen und ließ mich am Terminal aussteigen. Wir dachten beide, dass ich nur sechs Monate in London bleiben würde. Aber es kam alles ganz anders.

Leider fand ich keinen geeigneten Job in England. Eine Weile arbeitete ich als Barkeeper, aber schon nach ein paar Wochen wurde ich gekündigt. Dann flog ich auch noch aus der Wohnung meiner Halbschwester raus. Meine Qualitäten als Mitbewohner ließen wohl zu wünschen übrig. Es gab auch ein paar Treffen mit meinem Vater, aber wir hatten uns nichts zu sagen. Zuerst schlief ich auf dem Sofa von diversen Freunden und schleppte meinen Schlafsack tagsüber mit mir durch London. Als mir die Freunde ausgingen, landete ich auf der Straße.

Von da an ging's bergab.

Wenn du auf der Straße lebst, hast du nichts mehr: keine Würde und keine Persönlichkeit. Das Allerschlimmste allerdings ist, dass man als Obdachloser für seine Mitmenschen unsichtbar wird. Man hat keinen einzigen Freund mehr auf der Welt. Trotzdem habe ich es geschafft, einen Job als Küchenhilfe zu bekommen. Sie waren zufrieden mit meiner Arbeit, doch als herauskam, dass ich obdachlos war, wurde ich gefeuert.

Meine einzige Rettung wäre die Rückkehr nach Australien gewesen. Ich hatte ein Rückflugticket, aber zwei Wochen vor dem Flug verlor ich meinen Pass. Meine letzte Hoffnung löste sich in Luft auf. Genau wie ich, in gewisser Weise.

Ich versank in einem Nebel aus Drogen, Alkohol, Kleinkriminalität und Hoffnungslosigkeit.

Noch im gleichen Jahr, 1998, war ich bereits schwer heroinabhängig. In dieser Zeit entging ich mehrmals nur knapp dem Tod. Dennoch habe ich niemals daran gedacht, mich bei meiner Familie zu melden. Erst heute kann ich mir vorstellen, was sie damals durchgemacht haben.

Etwa ein Jahr später holte mich eine Hilfsorganisation für Obdachlose von der Straße und fand die unterschiedlichsten Unterkünfte für mich. Fast zehn Jahre lang übernachtete ich in grauenhaften Herbergen, Frühstückspensionen und anderen Absteigen. Den Schlafraum musste ich mir immer mit anderen Drogensüchtigen teilen, die mir alles stahlen, was ich noch besessen hatte. Nach dieser schlechten Erfahrung trug ich den Rest meiner Habseligkeiten Tag und Nacht am Körper. Es ging nur noch darum, zu überleben.

Die Drogen hatten mich so kaputt gemacht, dass ich in einem Rehabilitationsprogramm unterkam. Ich bekam psychologische Betreuung und redete mit den Beratern in der Drogenambulanz über meine Sucht, wie es dazu kam und wie ich davon loskommen könnte.

Ich war aus Einsamkeit heroinsüchtig geworden. So einfach war das. Es gab keinerlei Bindungen in meinem Leben, und auch wenn das seltsam klingt: Heroin war mein einziger Freund. Aber tief in mir wusste ich sehr wohl, dass es mich umbringen würde.

Sie gaben mir die Ersatzdroge Methadon, und das war der erste Schritt, um die Sucht zu besiegen. Erst 2007 war ich so weit, über das Absetzen von Methadon nachzudenken und ein Leben ohne Drogen zu wagen.

Damals wurde mir über die Drogenambulanz eine Wohnung im Londoner Stadtteil Tottenham angeboten, in einem sozialen Wohnblock, in dem ganz normale Familien lebten. Dieser Umzug in meine erste eigene Wohnung gab mir die Möglichkeit, mein

Leben wieder in den Griff zu bekommen. Um die Miete bezahlen zu können, fing ich an, in Covent Garden Gitarre zu spielen. Viel habe ich als Straßenmusiker nicht verdient, aber ich konnte meine Rechnungen bezahlen und Lebensmittel kaufen. Es war meine große Chance, wieder auf eigenen Beinen zu stehen. Die durfte ich nicht vermasseln.

Wenn ich eine Katze wäre, hätte ich meine sieben Leben schon längst verbraucht.

Kapitel 4
Ein kleiner Schnitt

Die Medikamente wirkten Wunder, und Bob blühte in den folgenden zwei Wochen förmlich auf. Seine Verletzung war fast verheilt, die kahlen Stellen waren so gut wie verschwunden, und sein Fell war viel dichter und samtweich geworden. Der ganze Kater wirkte rundum glücklich. Seine Augen strahlten mit einem gelbgrünen Schimmer, der vorher nicht da gewesen war.

Seine wilden Spielattacken in der Wohnung waren der beste Beweis, dass es ihm besser ging. Er war zwar vom ersten Tag an durch die Wohnung getobt, aber nach einer Woche liebevoller Pflege war er das reinste Energiebündel. Die verrückten fünf Minuten dauerten inzwischen viel länger. Dabei raste und sprang er herum wie ein Irrer und attackierte alles, was ihm in die Quere kam. Auch ich blieb nicht verschont. Aber ich nahm es ihm nicht übel, denn für ihn war das alles bloß ein Spiel ohne böse Absicht.

Nur sein neues Hobby, sich in der Küche als Einbrecher zu betätigen, musste ich unterbinden. Mir blieb nichts anderes übrig, als ein paar billige Kindersicherungen aus Plastik zu kaufen, um meine Lebensmittel vor ihm zu beschützen. Er brachte mich auch dazu, nichts mehr herumliegen zu lassen, das ihm auch nur im Entferntesten als Spielzeug dienen könnte. Ob Schuh oder T-Shirt, alles war innerhalb von Minuten zerkratzt oder zerrissen.

Es gab keinen Zweifel: Bob musste dringend kastriert werden.

Der kleine Schnitt würde ihn davor bewahren, wegen seiner überschäumenden Hormone durchzudrehen. Blieb er unkastriert, würde er auf seiner Suche nach Weibchen für Tage oder Wochen verschwinden. In seinem Paarungswahn war die Gefahr groß, dass er überfahren wurde oder sich auf Revierkämpfe einlassen würde. Außerdem könnte er sich beim Herumstreunen viele unangenehme Krankheiten einfangen. Als kastrierter Kater wäre er einfach ruhiger und ausgeglichener.

Es gab keine andere Wahl.

Kurz bevor Bob keine Medikamente mehr nehmen musste, rief ich in der Tierklinik an.

»Kann ich meinen Kater bei Ihnen kostenlos kastrieren lassen?«

»Ja«, sagte die Stimme am Telefon, »wenn Sie eine entsprechende Bestätigung vom Tierarzt haben.«

Ich erklärte ihr, dass ich bei meinem Besuch mit Bob in der RSPCA-Ambulanz vom Tierarzt eine solche Bescheinigung bekommen hatte. »Dann ist das in Ordnung«, sagte sie.

»Was ist mit seinen Tabletten? Bis übermorgen nimmt er noch Antibiotika«, wollte ich wissen.

»Das sollte kein Problem sein. Wir haben in zwei Tagen einen Termin frei.«

Am Tag der Operation stand ich früh auf. Wir sollten um zehn Uhr in der Klinik sein. Ich steckte Bob wieder in die ungeliebte grüne Kiste, in der ich ihn vor zwei Wochen zur RSPCA-Praxis tragen wollte. Da es in Strömen regnete, legte ich draußen auch noch den Deckel lose oben drauf. Es gefiel ihm nicht besser als beim ersten Mal. Dauernd steckte er den Kopf raus, um bloß nichts zu verpassen.

Wir erreichten die Tierklinik lange vor unserem Termin, aber der Warteraum war bereits voll. Das übliche Chaos von Tieren und ihren Herrchen und Frauchen. Hunde, die ungeduldig an ihren Leinen zogen und die Katzen in ihren schicken Tragekörben anknurrten. Unter all den Salonlöwen und Samtpfötchen fiel Bob in seiner ärmlichen Kiste ganz schön aus dem Rahmen, aber er trug es mit Fassung. Hauptsache ich war bei ihm.

Eine junge Mitarbeiterin rief uns auf: »Mr Bowen? Bitte kommen Sie mit.«

Sie ging voraus in einen Raum, wo sie mir ein paar Fragen stellte.

»Sind sie sicher, dass Sie mit Bob auch in Zukunft nicht züchten möchten? Die Operation kann nämlich nicht rückgängig gemacht werden.«

»Ganz sicher«, bestätigte ich und kraulte Bob zwischen den Ohren.

»Wie alt ist Bob?«

»Das weiß ich leider nicht«, musste ich zugeben und erzählte ihr seine Geschichte.

»Na, dann wollen wir mal sehen«, sagte die Assistentin und nahm Bob genauer unter die Lupe. »Wenn Kater nicht kastriert werden, verändert sich im Wachstumsprozess ihr Aussehen«, erklärte sie mir dabei. »Ihr Gesicht wird runder, besonders an den Backen. Außerdem wird ihre Haut dicker, und sie werden viel größer als ihre kastrierten Brüder. Bob ist noch nicht so groß, ich würde sagen, er ist so neun oder zehn Monate alt.«

Bob war noch ein Baby!

»Jede Operation birgt ein kleines Risiko«, klärte sie mich weiter auf und gab mir ein paar Formulare zum Ausfüllen. »Aber er wird vorher noch genau untersucht, gegebenenfalls machen wir auch noch einen Bluttest. Sollte ein Problem auftreten, melden wir uns bei Ihnen.«

»Okay«, antwortete ich etwas verlegen. Ich hatte kein Handy, weshalb es schwierig werden würde, mich zu erreichen.

Dann erklärte mir die Tierarzthelferin noch den Eingriff.

»Wenn alles gut geht, können Sie Bob in sechs Stunden wieder abholen«, sagte sie und sah auf ihre Uhr. »Also gegen halb fünf. Passt das?«

Bevor ich ging, drückte ich Bob noch einmal fest an mich. Dann stand ich etwas verloren vor der Klinik. Der Himmel war verhangen mit schwarzen Wolken. Ich hatte nicht genug Zeit, um in die Innenstadt zu meinem Stammplatz zu fahren. Ich beschloss, mein Glück an der nächsten U-Bahn-Station, der Dalston Kingsland, zu versuchen. Ich verdiente ein paar Pfund, obwohl ich herumtrödelte und so gar nicht bei der Sache war. Ich konnte mich nicht konzentrieren, weil ich nur an Bob dachte. Als der Regen kam, durfte ich mich bei einem netten Schuster unterstellen, dessen Laden gleich neben der Station lag.

Ich hatte wirklich versucht, mich auf meine Musik zu konzentrieren und Bob auszublenden. Aber ich kannte zu viele Geschichten von Hunden und Katzen, die für kleine Eingriffe betäubt worden waren und nie mehr aufgewacht sind. Ich tat mein Möglichstes, die Horrorszenarien in meinem Kopf zu verdrängen. Leider waren die schwarzen Wolken am Himmel dabei auch nicht gerade hilfreich.

Die Zeit verging sehr, sehr langsam an diesem Tag. Als es endlich Viertel nach vier war, packte ich zusammen. Die letzten Meter zurück zur Klinik legte ich, trotz Gitarre und Rucksack, im Laufschritt zurück.

Die Assistentin, die am Morgen mit mir gesprochen hatte, stand am Empfang. Sie begrüßte mich mit einem freundlichen Lächeln.

»Wie geht es ihm? Ist alles gut gegangen?«, keuchte ich völlig außer Atem. Das unbehagliche Gefühl, das mich den ganzen Tag begleitet hatte, schnürte mir zusätzlich die Kehle zu. Seit Jahren hatte ich mir nicht solche Sorgen um jemanden oder etwas gemacht.

»Es geht ihm gut, keine Sorge«, beruhigte sie mich. »Sobald Sie wieder normal atmen können, bringe ich Sie zu ihm.«

Bob lag in einem mit wärmenden Decken ausgelegten Käfig im Aufwachraum.

Bei seinem Anblick war ich so erleichtert, dass mir der Atem stockte. »Hallo, Bob, mein Freund. Wie geht es dir?«, sprach ich ihn an.

Er war noch sehr benommen, und es dauerte eine Weile, bis er mich erkannte. Nach kurzer Zeit setzte er sich wackelig auf und tappte mit einer Pfote schwach gegen die Gitterstäbe, als wollte er sagen: »Lass mich hier raus.«

Ich musste noch ein paar Formulare unterschreiben, während Bob ein letztes Mal untersucht wurde. Die nette Assistentin vergewisserte sich, ob er fit genug war, um mit mir nach Hause zu kommen.

»Sollte es ein Problem geben, rufen Sie uns bitte an oder kommen Sie mit Bob vorbei, okay? Aber ich denke, er hat alles gut überstanden.«

»Wie lange wird er noch so benommen sein?«, fragte ich nach.

»Das ist unterschiedlich«, antwortete sie. »Manche Katzen sind gleich wieder auf den Beinen, andere brauchen eine Weile, um sich zu erholen. Aber spätestens nach achtundvierzig Stunden sind alle wieder munter. Wahrscheinlich wird er morgen noch nicht viel fressen, aber spätestens übermorgen ist sein Appetit wieder da. Aber wie gesagt: Wenn Sie sich wegen irgendwas Sorgen machen, dann rufen Sie einfach an.«

Gerade als ich Bob in seine grüne Kiste heben wollte, hielt sie mich auf.

»Ich glaube, ich habe da etwas Besseres für Sie!« Dabei hielt sie mir einen wunderschönen himmelblauen Transportkorb hin.

»Oh nein, der gehört uns nicht«, wehrte ich ab.

»Den können Sie gerne mitnehmen. Wir haben so viele davon. Es reicht, wenn Sie ihn irgendwann zurückbringen, wenn Sie in der Gegend sind.«

»Ehrlich?«, fragte ich verblüfft. Hatte jemand den Korb hier vergessen? Oder seine Katze hergebracht, aber nicht mehr mit nach Hause nehmen können? Darüber sollte ich besser nicht länger nachdenken.

Am nächsten Tag ging ich nicht zur Arbeit, weil ich Bob nicht allein lassen wollte. Der Tierarzt hatte empfohlen, ihn ein bis zwei Tage im Auge zu behalten, falls doch noch Komplikationen auftraten. Wir brauchten zwar das Geld, aber ich hätte mir nie verziehen, wenn Bob in meiner Abwesenheit etwas passiert wäre. Also blieb ich zu Hause und spielte den Bob-Sitter.

Am nächsten Morgen fraß Bob schon ein paar Happen – ein gutes Zeichen. Er wanderte auch langsam und vorsichtig in der Wohnung herum, war aber noch meilenweit von seinen Temperamentsausbrüchen entfernt.

Doch in den nächsten zwei Tagen kam der alte Bob wieder zum Vorschein. Er verschlang seine Futterportionen wieder mit dem gleichen Appetit wie vorher. Hin und wieder spürte er wohl noch ein leichtes Ziehen an der operierten Stelle, aber das ist nichts Ungewöhnliches nach einem solchen Eingriff.

Ich hatte das Richtige getan und war froh, dass er es gut überstanden hatte.

Kapitel 5
Der Verfolger

Die Zeit war gekommen, Bob freizulassen. Einer Rückkehr in sein altes Leben stand nichts mehr im Wege, denn er war wieder gesund und hatte auch die Kastration gut überstanden. Also brachte ich ihn nach unten vor die Haustür.

»Na, dann lauf, Kumpel«, ermunterte ich ihn.

Bob wirkte ratlos. Er sah mich mit seinen großen Augen an und schien zu fragen: »Was willst du von mir?«

»Du kannst gehen! Geh nur«, wiederholte ich und verlieh meinen Worten mit wedelnden Handbewegungen Nachdruck.

Etwas verunsichert trottete er los, über die Grünfläche zu den Büschen, die er gern als sein persönliches Klo nutzte. Danach kam er zu mir zurück. Diesmal sagte sein Gesichtsausdruck: »Okay, ich habe alles erledigt, was jetzt?«

Erst da kam mir der Gedanke, dass er vielleicht gar nicht gehen wollte. »Ach so, du willst noch bleiben?«

Fast fühlte ich mich geschmeichelt, aber ich durfte es nicht zulassen. Ich hatte genug damit zu tun, für mich selbst zu sorgen, wie sollte ich da auch noch Verantwortung für eine Katze übernehmen? Ich tat uns beiden keinen Gefallen, wenn ich ihn behielt.

Also beschloss ich schweren Herzens, ihn von nun an auf dem Weg zur Arbeit mit nach draußen zu nehmen und auf der Grünfläche vor unserem Häuserblock zurückzulassen.

Hart, aber herzlich wollte ich ihm die Freiheit wieder schmackhaft machen.

Bob gefiel das neue Spiel gar nicht. Beim ersten Mal schickte er mir einen vorwurfsvollen Blick hinterher, der klar und deutlich mit »Verräter« übersetzt werden konnte.

Als ich mit meiner Gitarre loszog, verfolgte er mich. Wie ein Agent in geheimer Mission huschte er am Gehweg von einem Versteck zum nächsten, weil er nicht von mir entdeckt werden wollte. Leider machte ihm sein orangerot leuchtendes Fell einen Strich durch die Rechnung, da nützten ihm auch seine Verfolgungstechniken wie Auf- und Abtauchen und in Zickzacklinien Hin- und Herlaufen nichts.

Jedes Mal, wenn ich ihn bemerkte, blieb ich stehen.

»Hör zu, Kumpel, bitte geh weg!«, flehte ich ihn an und versuchte ihn mit wild fuchtelnden Handbewegungen zu verscheuchen, bis er es endlich kapierte und verschwand.

Als ich nach sechs Stunden zurückkam, saß er vor dem Hauseingang und wartete auf mich. Mein Verstand warnte mich davor, ihn wieder mit nach oben zu nehmen, aber mein Herz setzte sich durch. Seine Anhänglichkeit rührte mich, und außerdem wollte ich ihn einfach bei mir haben, denn ohne ihn war meine Wohnung leer und einsam.

Bob gewöhnte sich schnell an den neuen Rhythmus.

Tagsüber ließ ich ihn draußen, und abends, wenn ich von meiner Arbeit als Straßenmusiker nach Hause kam, wartete er bereits auf mich. Er zeigte keinerlei Interesse, in sein altes Leben zurückzukehren.

Ich musste härtere Geschütze auffahren und ihn auch nachts draußen lassen.

Am ersten Abend, an dem ich die neue Regel einführen wollte, versuchte ich mich heimlich ins Haus zu schleichen. Wie dumm von mir. Er war eine Katze! Er hatte mehr Sensoren in einem seiner Barthaare als ich in meinem ganzen Körper. Kaum hatte ich die Haustür leise geöffnet, war er schon da und quetschte sich durch den Türspalt. In dieser Nacht blieb ich hart, auch wenn es mir total schwerfiel. Ich ließ ihn nicht in die Wohnung, sondern draußen im Hausflur. Als ich am nächsten Morgen die Tür öffnete, war er immer noch da. Er hatte auf der Fußmatte geschlafen.

Dieses Spiel wiederholte sich mehrere Tage lang. Aber Bob gewann immer.

Dann fing er wieder an, mir auf dem Weg zur Arbeit hinterherzulaufen.

Beim ersten Mal kam er bis zur Hauptstraße mit. Am nächsten Tag verfolgte er mich schon fast bis zur Bushaltestelle. Ich bewunderte seine Hartnäckigkeit und war gleichzeitig stinksauer, weil er sich nicht abschütteln ließ. Von Tag zu Tag wurde er dreister. Und jeden Abend, wenn ich nach Hause kam, war er schon da und wartete auf mich.

So konnte es nicht weitergehen. Irgendwas musste geschehen. Bob war ganz meiner Meinung …

Eines Tages auf dem Weg zur Arbeit saß Bob in einer Seitengasse, an der ich vorbeiging.

»Hallo, Kumpel«, begrüßte ich ihn.

Er lief hinter mir her, ich verscheuchte ihn wie üblich, und er trottete davon.

Den Rest des Weges drehte ich mich mehrmals um, aber es war kein Fellspitzchen mehr zu sehen.

Vielleicht hat er es ja endlich kapiert, dachte ich zufrieden.

Um zu meiner Bushaltestelle zu gelangen, musste ich die Tottenham High Road überqueren, eine stark befahrene und für Fußgänger ziemlich gefährliche Hauptstraße im Norden von London. Ich stand am Bürgersteig und wartete auf eine Verkehrslücke, die ich nutzen konnte, um auf die andere Straßenseite zu gelangen. Plötzlich spürte ich eine vertraute Reibung am Bein. Ich sah nach unten und schnappte nach Luft.

»Bob!«

Er stand nicht nur neben mir, sondern versuchte tatsächlich, ebenfalls auf die andere Straßenseite zu kommen.

»Was machst du denn hier?«, zischte ich entsetzt.

Sein Blick sprach Bände: »Dumme Frage«, hieß das.

Das konnte ich nicht zulassen. Also hob ich ihn hoch und setzte ihn auf meine Schulter, wo er immer gerne saß. Vertrauensvoll schmiegte er sich an mich, während ich die Straße überquerte.

»Okay, Bob, bis hierher und nicht weiter«, beschwor ich ihn und setzte ihn an der Bushaltestelle wieder auf den Gehweg.

Ohne mich eines weiteren Blickes zu würdigen, verschwand er in der Menschenmenge.

Vielleicht habe ich ihn heute wirklich zum letzten Mal gesehen, dachte ich noch.

Dann kam der Bus. Einer dieser altmodischen roten Doppeldecker, auf die man hinten aufspringen kann. Als ich durch den Bus nach hinten ging, um mich in die letzte Reihe zu setzen, sah ich draußen ein rotes Fell aufblitzen. Ehe ich mich versah, war Bob in den Bus gesprungen und hatte es sich wie selbstverständlich auf dem Sitz neben mir gemütlich gemacht.

Fassungslos starrte ich ihn an. Es war der Moment, in dem ich es endlich begriff: *Diese Katze werde ich nie mehr los.*

»Okay«, gab ich mich lachend geschlagen und klopfte mir einladend auf die Oberschenkel. »Komm schon her!«

Bob sprang sofort auf meinen Schoß. Als die Kontrolleurin, eine Frohnatur aus der Karibik, vorbeikam, schenkte sie zuerst Bob und dann auch mir ein strahlendes Lächeln.

»Ist das Ihrer?«, fragte sie.

»Sieht so aus«, gab ich grinsend zurück.

In der nächsten Dreiviertelstunde saß Bob brav auf dem Sitz neben mir und drückte sich sein Näschen am Fenster platt. Fasziniert beobachtete er all die Autos, Radfahrer, Lastwagen und Fußgänger, die am Bus vorbeizogen. Bestimmt ein ungewohntes Schauspiel für eine Katze, aber Bob blieb cool wie immer.

Nur das hysterische Sirenengeheul von Polizei, Feuerwehr oder Krankenwagen im Einsatz war ihm unheimlich. Wenn ein solcher Wagen zu nah am Bus vorbeirauschte, schreckte er vom Fenster zurück und drückte sich schutzsuchend an mich.

»Davor brauchst du dich nicht zu fürchten, Bob«, flüsterte ich ihm zu und kraulte ihm beruhigend den Nacken. »So hört es sich in der Londoner Innenstadt immer an. Daran musst du dich gewöhnen.«

Irgendwie wusste ich, dass dies nicht unsere letzte gemeinsame Busfahrt sein würde. Er hatte sich auf leisen Pfoten in mein Leben geschlichen, um zu bleiben.

Kapitel 6
Im Mittelpunkt

Wir stiegen an der U-Bahn-Station Tottenham Court Road aus. In einer Manteltasche hatte ich noch die selbstgebastelte Schuhbänderleine. Ich legte sie Bob um den Hals, damit er mir bloß nicht verloren ging. Schließlich war Bob dieses Getümmel nicht gewöhnt. Er könnte sich verlaufen oder im schlimmsten Fall von einem der Busse oder schwarzen Taxis überfahren werden, die zwischen dem U-Bahnhof und der Oxford Street, einer der beliebtesten Einkaufsstraßen Londons, hin- und herpendelten.

Die überfüllte Innenstadt von London war für Bob dann doch etwas zu viel. Wir mussten uns durch Massen von Touristen und Leuten auf Shoppingtour einen Weg bahnen, und er fühlte sich dabei sichtlich unwohl. Also beschloss ich, über die ruhigeren Nebenstraßen nach Covent Garden zu laufen.

»Na komm, Bob, raus aus diesem Gewühl«, versuchte ich ihn zu ermutigen.

Aber es half nichts, er fühlte sich immer noch unbehaglich und gab mir mit flehenden Blicken zu verstehen, dass er auf meine Schulter wollte.

»Also gut, aber lass das nicht zur Gewohnheit werden, hörst du?«, gab ich schließlich nach. Ich setzte ihn, wie beim Überqueren der Tottenham High Road, wieder auf meine Schulter.

Schnell hatte er eine bequeme Position mit gutem Ausblick gefunden: Er thronte da oben wie ein kleiner Pirat im Aussichtskorb seines Schiffes. Ich kam mir vor wie Long John Silver oder Captain Hook, nur hatte ich statt eines Papageis einen Kater auf der Schulter. Den ganzen Weg bis Covent Garden spürte ich sein leichtes Schnurren an meinem Hals.

Schon bald machte ich mir keine Gedanken mehr um den Kater auf meiner Schulter, sondern um den Arbeitstag, der vor mir lag: Würde das Wetter in den nächsten fünf Stunden halten? Wie werden die Covent-Garden-Besucher mich heute aufnehmen? Wie lange würde ich spielen müssen, um die zwanzig bis dreißig Pfund zu verdienen, die ich – und nun auch Bob – für die nächsten Tage dringend brauchten? Am Vortag hatte es fast fünf Stunden gedauert.

Während ich so vor mich hingrübelte, merkte ich plötzlich, dass etwas anders war als sonst.

Normalerweise wurde ich auf der Straße von niemandem beachtet. Ich war nur einer von vielen Straßenmusikern in London und dadurch für meine Mitmenschen unsichtbar. Niemand würdigte mich eines Blickes. Aber als ich an diesem frühen Nachmittag die Neal Street entlangging, wurde ich von den anderen Passanten auf einmal wahrgenommen – genauer gesagt: Bob wurde wahrgenommen.

Manche Leute starrten uns irritiert an. Ich nahm das keinem übel, denn so als Paar waren Bob und ich sogar im verrückten London kein alltäglicher Anblick: ein großer, langhaariger Kerl mit einem roten Kater auf der Schulter. Den meisten Leuten zauberte Bob jedoch schnell ein Lächeln ins Gesicht, und es dauerte nicht lange, bis wir zum ersten Mal angesprochen wurden.

»Ah, lasst euch ansehen«, rief eine gut gekleidete Dame aus, die mit Einkaufstüten beladen war. »Ist der schön. Darf ich ihn streicheln?«

»Aber klar doch«, antwortete ich. Noch war ich der Meinung, das würde nur dieses eine Mal passieren.

Sie ließ ihre Tüten fallen und kam mit ihrem Gesicht ganz nah an Bobs.

»Bist du aber ein hübscher Junge«, flüsterte sie ihm zu. Während sie ihn kraulte, richtete sie auch ein paar Worte an mich. »Wie brav er da auf Ihrer Schulter sitzt. So etwas sieht man nicht jeden Tag. Er hat großes Vertrauen zu Ihnen, nicht wahr?«

Kaum hatten wir uns von der Dame verabschiedet, sprachen uns zwei Teenager aus Schweden an.

»Wie heißt er?«, wollten sie wissen. »Und dürfen wir ein Foto von ihm machen?« Ich nickte, woraufhin die beiden gleich wild drauflosknipsten.

»Er heißt Bob«, sagte ich.

»Ah, Bob. Cool.«

Nach ein paar Minuten entschuldigte ich mich höflich, um weitergehen zu können. Mein Ziel war das Ende der Neal Street in Richtung Long Acre. Aber wir kamen kaum voran. Drei Schritte gehen, und schon wurden wir wieder von jemandem aufgehalten, der mit Bob reden oder ihn streicheln wollte. Es war nicht zu fassen. Normalerweise brauchte ich von der Bushaltestelle bis zu meinem Stammplatz in Covent Garden zehn Minuten. An diesem Tag kamen wir mit einer geschlagenen Stunde Verspätung an.

Na, vielen Dank, Bob. Meinen üblichen Tagesverdienst kann ich für heute wohl vergessen, dachte ich und fand das gar nicht lustig. Wenn er mich so viel Zeit kostete, konnte ich ihn in Zukunft nicht mehr mitnehmen.

Aber ich wurde schnell eines Besseren belehrt.

Damals hatte ich bereits eineinhalb Jahre als Straßenmusiker in Covent Garden gearbeitet. Täglich von etwa zwei Uhr nachmittags bis acht Uhr abends. Am Wochenende fing ich früher an und nahm das Mittagsgeschäft mit. Donnerstag, Freitag und Samstag arbeitete ich meist bis spät in die Nacht, weil da auch die Londoner nach Covent Garden kamen, um sich dort mit Freunden zu treffen oder ins Pub zu gehen.

An diesen Abenden lief ich die letzten Stunden von Pub zu Pub und machte Musik für die Leute, die draußen saßen. Im Sommer war das ein einträgliches, aber auch ziemlich riskantes Geschäft. Manche Leute fühlten sich von mir belästigt. Sie wurden ausfallend und beleidigend, aber daran hatte ich mich gewöhnt. Zum Glück gab es auch genug Leute, die sich über meine Musik freuten und mir dafür gerne etwas Kleingeld zusteckten.

Für uns Straßenkünstler gab es eine amtliche Regelung der Stadtverwaltung, wer in welchem Teil von Covent Garden arbeiten durfte. Die Musiker durften in der Nähe des Royal Opera House und der Bow Street spielen, die Jongleure und Straßenkünstler hatten die Westseite der Piazza zugeteilt bekommen. In der James Street durften die menschlichen Statuen herumstehen, aber meistens war dort keiner. Deshalb hatte ich sie zu meinem Revier auserkoren. Es bestand zwar immer die Gefahr, von den Kontrolleuren der Stadt, die wir »Covent Guardians« nannten, in die Bow Street zu den anderen Straßenmusikern verwiesen zu werden, aber das war es mir wert. Dort kamen einfach immer so viele Leute aus der U-Bahn, dass es schon reichte, wenn mir nur einer von tausend etwas in den Gitarrenkasten warf.

Als wir endlich an meinem Stammplatz angekommen waren, peilte ich die Lage. Es war kein Covent Guardian in Sicht. Ich setzte Bob auf dem Gehweg ab, sicherheitshalber ganz hinten an der Mauer, öffnete den Reißverschluss meiner Gitarrentasche, zog meine Jacke aus und begann, meine Gitarre zu stimmen.

Ein paar Leute verlangsamten ihren Schritt und warfen Münzen in meine Gitarrentasche, noch bevor ich auch nur einen Ton gespielt hatte. *Wie großzügig*, dachte ich überrascht.

Dann hörte ich eine männliche Stimme hinter mir: »Hey, coole Katze!«

Ich drehte mich um und sah einen jungen Mann in Jeans und T-Shirt, der mir das »Daumen-hoch«-Zeichen zeigte, bevor er grinsend weiterging.

Verdutzt sah ich mich nach Bob um. Er hatte es sich mitten in meiner aufgeschlagenen Gitarrentasche gemütlich gemacht und sich zu einem kuscheligen Fellknäuel zusammengerollt. Ich wusste zwar, dass er ein Herzensbrecher war, aber das war einfach verboten süß.

Kapitel 7
Teamwork

Als Teenager in Australien habe ich mir selbst Gitarre spielen beigebracht. Freunde zeigten mir die nötigen Griffe, und ich übte dann so lange, bis ich es konnte. Meine erste Gitarre bekam ich mit fünfzehn oder sechzehn. Das ist eigentlich schon ziemlich spät, um ein Instrument zu erlernen, aber damals hatte ich gerade Jimi Hendrix entdeckt und wollte unbedingt so gut werden wie er.

Die Songs, die ich als Straßenmusiker gerne spielte, gehörten alle zu meinen Lieblingsliedern: Nirvana, Bob Dylan und ein paar Titel von Johnny Cash. Am besten kam allerdings »Wonderwall« von Oasis beim Publikum an, besonders, wenn ich abends die Pubs abklapperte.

Als ich an diesem Tag endlich anfing zu spielen, blieb eine Gruppe Jugendlicher vor uns stehen. Sie trugen alle brasilianische Fußballtrikots und sprachen portugiesisch. Ein Mädchen beugte sich zu Bob hinunter und streichelte ihn.

»Ah, gato bonito«, sagte sie.

»Sie sagt, du hast eine wunderschöne Katze«, übersetzte ein Junge für mich.

Sofort blieben auch andere Passanten stehen, um zu sehen, was da los war. Mindestens sechs der jungen Brasilianer und auch viele andere Leute fingen an, in ihren Taschen zu kramen. Es regnete geradezu Münzen in meine Gitarrentasche.

Mit einem breiten Grinsen entschuldigte ich mich bei meinem rotpelzigen Freund: »Sieht aus, als wärst du doch kein so schlechter Begleiter, Bob. In Zukunft darfst du jederzeit gerne mitkommen!«

Da seine Anwesenheit nicht geplant war, hatte ich kein Futter für ihn dabei. Ich fand nur eine halbe Tüte seiner Lieblingssnacks im Rucksack. Ich teilte sie gut ein und spendierte ihm immer mal wieder einzelne Bröckchen. Auf eine richtige Mahlzeit musste er eben genauso warten wie ich.

Gegen Abend wurde das Gedränge auf der James Street immer dichter. Leute eilten zur U-Bahn, um nach Hause zu fahren, oder sie kamen an, um im West End auszugehen. Immer mehr Menschen verlangsamten ihren Schritt und beäugten Bob neugierig.

Es wurde schon dunkel, als eine ältere Dame stehen blieb und uns ansprach.

»Wie lange haben Sie ihn schon?«, wollte sie wissen und bückte sich, um Bob zu streicheln.

»Ach, erst seit ein paar Wochen«, antwortete ich. »Wir haben uns zufällig gefunden.«

»Zufällig gefunden? Das klingt aber interessant.«

Sie lächelte mich aufmunternd an. Also erzählte ich ihr, wie wir uns zum ersten Mal begegneten und dass ich ihn eigentlich nur für zwei Wochen bei mir aufnehmen wollte, um ihn gesund zu pflegen.

»Vor ein paar Jahren hatte ich auch mal so einen roten Kater«, sagte sie und einen Moment lang sah es aus, als würde sie gleich in Tränen ausbrechen. »Sie haben so ein Glück, ihn gefunden zu haben. Katzen sind die besten Gefährten, sie sind so ruhig und sanftmütig. Er ist Ihnen bestimmt ein wunderbarer Freund.«

Ich lächelte sie an. »Ja, ich glaube, Sie haben recht.«

Bevor sie weiterging, drückte sie mir fünf Pfund in die Hand.

An diesem Tag hatte ich schon nach einer Stunde so viel verdient wie sonst an einem guten Arbeitstag, nämlich knapp über zwanzig Pfund.

Das ist ja fantastisch, jubelte ich innerlich.

Aber ich hatte das Gefühl, dass ich noch nicht aufhören durfte.

Schließlich glaubte ich immer noch nicht so ganz an Bobs wundersamen Wandel von der Straßenkatze zum Stubentiger. Obwohl er mich inzwischen überzeugt hatte, dass wir zusammengehörten, konnte ich immer noch nicht ausschließen, dass er eines Tages doch noch aus meinem Leben verschwinden würde. Solange die Passanten scharenweise stehen blieben, um Bob zu bewundern, sollte ich die Gunst der Stunde nutzen: Heu ernten, solange die Sonne scheint, oder so ähnlich.

Solange er Spaß daran hat, werde ich ihn in Zukunft nicht mehr daran hindern, mitzukommen, nahm ich mir vor. *Und wenn ich dabei ein bisschen mehr verdiene, schadet das auch keinem.*

Nur dass »ein bisschen mehr« inzwischen »ziemlich viel mehr« war.

Normalerweise verdiente ich als Straßenmusiker um die zwanzig Pfund am Tag. Aber an diesem Abend hatte ich weit mehr als das in der Tasche.

Nachdem ich meine Gitarre weggepackt hatte, zählte ich meine Einnahmen. Ich kam auf die stattliche Summe von 63,77 Pfund. Das ist für die meisten Besucher von Covent Garden wahrscheinlich nicht viel Geld, aber für mich war es ein kleines Vermögen.

Ich verstaute die vielen Münzen in meinem Rucksack und warf ihn mir über die Schulter. Er klimperte dabei wie ein überdimensionales Sparschwein. Und er wog eine gefühlte Tonne. Ich war total aus dem Häuschen, denn so viel hatte ich an einem Tag auf der Straße noch nie verdient.

Ich hob Bob hoch und kraulte ihm den Nacken.

»Das hast du gut gemacht, Kumpel«, flüsterte ich ihm zu. »Heute hat sich das Arbeiten mal richtig gelohnt!«

Auf die Pub-Tour konnten wir heute guten Gewissens verzichten. Bob war bestimmt genauso hungrig wie ich. Es war Zeit, sich auf den Heimweg zu machen.

Auf dem Weg zur Bushaltestelle an der Tottenham Court Road saß Bob wieder auf meiner Schulter. Ich hatte mir vorgenommen, mich nicht mehr von jedem aufhalten zu lassen, der uns ansprach oder zulächelte. Es war unmöglich, denn es waren einfach zu viele, und ich wollte unbedingt noch vor Mitternacht zu Hause sein.

»Heute gönnen wir uns ein ganz besonderes Abendessen, Bob«, versprach ich, als wir im Bus saßen.

Aber das interessierte ihn in diesem Moment wenig. Er drückte sich lieber die Nase am Fenster platt und beobachtete fasziniert die vielen Lichter von London bei Nacht.

Wir stiegen an der Tottenham High Road, in der Nähe eines richtig guten indischen Restaurants, aus. Bisher hatte ich mir noch nie eines der wunderbaren Gerichte auf deren Speisekarte leisten können. Aber an diesem Abend ging ich hinein und bestellte:

»Einmal Hühnchen Tikka Masala mit Zitronenreis, ein Peshawari Naan und ein Saag Paneer, bitte.«

Dann bemerkte ich die schiefen Blicke der Kellner, weil ich Bob an der Leine mit ins Lokal genommen hatte.

»Ich komme in zwanzig Minuten wieder, um alles abzuholen«, sagte ich. In der Zwischenzeit wollte ich in den Supermarkt auf der anderen Straßenseite.

»Na, Bob? Wie wär's mit einem Beutel exquisitem Katzenfutter?«, schlug ich im Supermarkt übermütig vor. »Dann noch zwei Päckchen von deinen Lieblingssnacks und etwas von dieser edlen

Katzenmilch? Heute Abend wird gefeiert. Diesen Tag dürfen wir nie vergessen.«

Nachdem ich mein Essen abgeholt hatte, rannte ich fast nach Hause. Die betörenden Düfte, die aus den braunen Papiertüten des indischen Nobelrestaurants hochstiegen, waren zu verlockend. Zu Hause angekommen, verschlangen Bob und ich unser Luxusdinner wie zwei ausgehungerte Dschungel-Camper. Tatsächlich hatte ich seit Monaten, vielleicht Jahren, nicht mehr so gut gegessen. Und ich bin mir ziemlich sicher, dass es Bob ähnlich ging.

Danach machten wir es uns gemütlich, ich vor dem Fernseher auf dem Sofa und Bob in seine Decke gekuschelt unter der Heizung.

In dieser Nacht schliefen wir beide wie die Murmeltiere.

Kapitel 8
Ein Mann und seine Katze

Am nächsten Morgen riss mich ein lautes Scheppern aus dem Schlaf. Es hörte sich an, als hätte Bob in der Küche einen Topf umgeworfen. Wer sonst sollte dort frühmorgens versuchen, den Küchenschrank zu knacken, in dem sein Futter aufbewahrt wurde. Das war seine Art, mir zu sagen: »Hey, steh auf! Ich will mein Frühstück!«

Pflichtbewusst wälzte ich mich aus meinem warmen Bett und trottete schlaftrunken in die Küche.

»Ja, ja, Kumpel, ich hab schon verstanden«, sagte ich gähnend. Dann öffnete ich die Schranktür und holte einen Beutel seines Lieblingsfutters »Hühnchen in feiner Soße« heraus.

Er verschlang es in wenigen Sekunden. Dann schlabberte er sein Wasser auf, leckte sich das Gesicht und die Pfoten sauber und trottete ins Wohnzimmer, um sich an seinem Lieblingsplatz zusammenzurollen.

Ich seufzte. *Wenn unser Menschenleben doch auch so einfach wäre*, dachte ich etwas wehmütig.

Ich spielte kurz mit dem Gedanken, mir heute freizunehmen, aber dann besann ich mich eines Besseren. Vielleicht war gestern nur ein Glückstag, und so lange würden diese Einnahmen nun auch nicht reichen. Ich hatte zum ersten Mal in meinem Leben eine Verantwortung übernommen und ab sofort ein zusätzliches Maul zu stopfen – ein ziemlich hungriges noch dazu.

Ich war nicht sicher, ob Bob mich wieder in die Stadt begleiten wollte. Nur für den Fall, dass er wieder hinter mir herlaufen würde, packte ich extra Katzensnacks und Wasser für ihn ein.

Mittags zog ich mit Rucksack und umgeschnallter Gitarre los. Gerade als ich die Wohnungstür hinter mir zuziehen wollte, kam Bob angerannt und folgte mir durch das Treppenhaus nach unten. Sein erster Weg führte ihn zu seinem Klo unter den Büschen. Danach trollte er sich in Richtung Müllcontainer hinter dem Haus.

Zu meinem Leidwesen hielt er sich dort liebend gerne auf. Ich wollte gar nicht daran denken, was er dort alles fand – und wahrscheinlich auch fraß. Aber scheinbar war heute Vormittag die Müllabfuhr da gewesen, denn der Platz um die Tonnen war sauber, es lag kein verstreuter Abfall herum wie sonst so oft.

Ich machte mich auf den Weg zur Bushaltestelle. Bob kam immer irgendwie zurück ins Haus und würde wahrscheinlich im Hausflur vor der Wohnung auf mich warten, wenn ich abends nach Hause kam.

Auch gut, dachte ich. Bob hatte mir am Vortag einen kleinen Geldsegen beschert, aber deshalb würde ich ihn noch lange nicht zwingen, mich jeden Tag zu begleiten. Er war mein Freund und Gefährte, kein Mitarbeiter!

Der Himmel war grau, und es sah aus, als ob es bald regnen würde. Straßenmusik im Regen war reine Zeitverschwendung. Da hatte keiner ein offenes Ohr, jeder war nur darauf bedacht, schnellstmöglich von A nach B zu gelangen. Ich nahm mir vor, zurückzukommen und den Tag mit Bob zu Hause abzuhängen, falls es in der Innenstadt schütten sollte.

Aber schon nach ein paar Metern hatte ich das Gefühl, verfolgt zu werden. Als ich mich umdrehte, schlich tatsächlich ein mir gut bekannter, kleiner Felltiger hinter mir her.

»Aha, haben wir unsere Meinung geändert?«, begrüßte ich ihn.
Bob bedachte mich mit einem empörten Blick, als wollte er sagen: »Na, was meinst du denn? Warum würde ich sonst hinter dir herlaufen?«

Ich hatte immer noch die selbstgebastelte Leine in meiner Manteltasche, die ich ihm gleich umband. Den Rest des Weges trotteten wir einträchtig nebeneinander her.

Und schon starrten uns die Leute wieder an. Der eine oder andere missbilligende Blick war auch darunter. Sie hielten mich wahrscheinlich für total durchgeknallt, weil ich mit einem roten Kater an einem Schuhband Gassi ging.

Plötzlich schämte ich mich dafür. »Wenn du öfter mit mir mitkommen willst, muss ich dir unbedingt eine richtige Leine besorgen«, flüsterte ich Bob zu.

Aber für jeden bösen Blick nickten uns mindestens ein halbes Dutzend freundliche Gesichter lächelnd zu. Eine Afrikanerin, voll bepackt mit schweren Einkaufstüten, schenkte uns ihr schönstes Lächeln und rief uns zu: »Ihr zwei gebt ein tolles Bild ab!«

In all den Monaten, die ich bereits in Tottenham wohnte, hat mich in meinem Viertel noch nie irgendjemand auf der Straße angesprochen. Es war seltsam, aber auch ziemlich cool. Es fühlte sich an, als hätte mir jemand Harry Potters Unsichtbarkeitsmantel vom Leib gerissen.

Als wir an die Tottenham High Road kamen, wo wir die Straße überqueren mussten, sah Bob auffordernd zu mir hoch.

»Komm schon, James, du weißt, was du jetzt tun musst«, sagte sein Blick.

Also setzte ich ihn auf meine Schulter, wir überquerten die Straße und stiegen in den Bus.

Leider hatte ich mit dem Wetter recht behalten. Plötzlich goss es in Strömen, der Regen trommelte gegen die Fensterscheiben und die Tropfen zeichneten Muster, die Bob faszinierten. Er verfolgte die Tropfen und versuchte sie mit der Pfote zu erhaschen. Draußen auf den Gehwegen sah man nur ein Meer von Regenschirmen. Die Leute rannten und platschten durch die Straßen, um dem Wolkenbruch schnellstens zu entfliehen.

Zum Glück hatte der Regen nachgelassen, als wir in der Innenstadt ankamen. Trotz des schlechten Wetters waren mehr Leute unterwegs als am Vortag.

»Wir probieren es mal für zwei Stunden«, sagte ich zu Bob, hob ihn auf meine Schulter und machte mich auf den Weg nach Covent Garden. »Wenn es anfängt zu regnen, fahren wir sofort nach Hause, das verspreche ich dir!«

Auf der Neal Street wurden wir immer wieder angehalten. Ich hatte kein Problem, Bob von Fremden bewundern zu lassen, solange alles im Rahmen blieb. Aber ich lernte schnell, nicht mehr stehen zu bleiben, denn das kostete einfach zu viel Zeit.

Kurz bevor wir an meinem Stammplatz angekommen waren, passierte etwas Interessantes.

Ich spürte, wie Bob auf meiner Schulter unruhig wurde und von meiner Schulter auf meinen Arm kletterte. Von dort sprang er auf den Gehweg und lief an der Leine vor mir her. Er wusste tatsächlich, wo wir waren und wohin wir wollten. Mein schlauer Kater führte mich den ganzen Weg bis zu dem Platz, an dem wir gestern waren. Dort angekommen, blieb er stehen und wartete, bis ich meine Gitarre ausgepackt und die Tasche für ihn ausgebreitet hatte.

»Bitte sehr, Bob«, sagte ich und lud ihn mit einer übertriebenen Handbewegung ein, Platz zu nehmen.

Er folgte meiner Einladung sofort und setzte sich in die Gitarrentasche, als wäre sie nur für ihn gemacht. Er platzierte sich so, dass er zusehen konnte, wie die Welt an ihm vorüberzog. In Covent Garden tut sie das wirklich.

Kapitel 9
Geldsegen

Früher wollte ich unbedingt ein bekannter Musiker werden, so wie Kurt Cobain. Auch wenn das heute sehr naiv klingt, aber als ich von Australien nach England kam, war das wirklich mein Plan.

Das hatte ich meiner Mutter erzählt und jedem anderen, der es hören wollte. Und für kurze Zeit sah es tatsächlich so aus, als könnte ich diesen Traum verwirklichen. Anfangs war alles sehr mühsam, bis ich 2002 mit ein paar Freunden eine Band gründete. Wir waren vier Gitarristen und nannten uns »HyperFury«, das heißt so viel wie »Unbändige Wut«. Der Name passte sehr gut zu mir und beschrieb meine damalige Stimmung. Unsere Musik war ein Ventil für die Wut und den Frust, die in mir brodelten.

Unsere Songs waren düster und aggressiv und nicht unbedingt charttauglich. Anders gesagt: Wir bekamen keine Einladung, um auf dem berühmten Glastonbury-Rockfestival aufzutreten.

Aber wir hatten Fans und wurden für verschiedene Auftritte gebucht. Im nördlichen Teil von London gab es damals eine starke Gothic-Szene, zu deren Lebenseinstellung unsere Musik gut passte. Wir waren nicht wählerisch und nahmen alle Gigs an, die wir kriegen konnten.

Unser größter Auftritt war im Dublin Castle, einem berühmten Musikpub im Norden von London, wo wir sogar mehrmals spielten.

Wir waren immerhin so gut, dass ich zusammen mit einem Kumpel ein eigenes, unabhängiges Plattenlabel gründete: Corrupt Drive Records. Aber leider hat es nicht funktioniert, oder besser gesagt, ich habe nicht funktioniert.

Im Jahr 2005 fand ich mich damit ab, dass die Auftritte mit der Band nie genug Geld einspielen würden, um davon zu leben. Die Band würde immer nur ein Hobby bleiben. Mein Drogenkonsum war inzwischen wieder der wichtigste Bestandteil meines Lebens geworden – ich landete erneut in der Gosse. Noch eine Chance vertan. Ich werde nie erfahren, wie mein Leben verlaufen wäre, wenn ich damals die Finger von den Drogen gelassen hätte.

Aber die Musik habe ich nie aufgegeben. Auch als sich die Band aufgelöst hatte, spielte ich fast täglich mehrere Stunden Gitarre und improvisierte bekannte Songs. Gott allein weiß, was ohne die Musik aus mir geworden wäre. Und das Geld, das ich als Straßenmusiker verdiente, hat mir in den letzten Jahren auch sehr geholfen.

Der zweite Tag mit Bob an meiner Seite war genauso erfolgreich wie der erste. Kaum hatte ich mich hingesetzt – beziehungsweise kaum hatte Bob sich niedergelassen –, blieben all die Leute stehen, die sonst achtlos an mir vorbeihasteten, um ihn zu bewundern.

Ich hatte noch nicht lange gespielt, als eine streng dreinblickende Politesse an uns vorbeiging. Als sie Bob sah, erhellte ein Lächeln ihre harten Züge.

»Ja, hallo«, sprach sie Bob an und ging vor ihm in die Hocke, um ihn zu streicheln.

Sie beachtete mich kaum und hatte auch keine Münze für meine Gitarrentasche übrig, aber das war okay. Zusehen zu dürfen, wie

Bob so vielen Menschen ein Lächeln ins Gesicht zauberte, war für mich auch eine Art von Belohnung.

Klar, er war ein wunderschöner Kater, aber das war nicht der Grund, warum er die Menschen berührte. Bob hatte eine besondere Ausstrahlung und zog Fremde an wie ein kleiner Magnet. Es ist schwer mit Worten zu erklären, aber vielleicht kann ich es so sagen: Er konnte die Herzen der Menschen öffnen.

Mich hat er ja auch gleich bei der ersten Begegnung in seinen Bann gezogen. Er brachte es fertig, das Gute in jedem Menschen hervorzuholen – oder zumindest wollte jeder, der ihn kannte, immer nur sein Bestes.

Ich beobachtete auch, wie er sich zurückzog, wenn er jemanden nicht mochte.

Wie bei der Begegnung mit einem wohlhabenden Geschäftsmann aus dem Nahen Osten, der Arm in Arm mit seiner hübschen blonden Begleiterin an uns vorbeiging.

»Oh, sieh nur. Was für eine hübsche Katze«, rief sie aus und zog ihn am Arm, damit er stehen blieb.

Der Schönling machte eine gelangweilte, abfällige Handbewegung, nach dem Motto: »Na und?«

In diesem Moment veränderte sich Bobs Körpersprache. Sein Rücken krümmte sich ganz leicht, und er rückte etwas näher an mich heran. Die Veränderung war minimal, aber für mich sprach sie Bände.

Ob der Kerl Bob an jemanden aus seiner Vergangenheit erinnert?, fragte ich mich, als das Paar verschwand.

Ich hätte alles dafür gegeben, Bobs Vorgeschichte zu kennen, aber das würde ich wohl nie herausfinden. Sie würde für immer ein Rätsel bleiben.

Am ersten Tag war ich doch etwas überfordert mit den Massen von Leuten, die Bob auf uns aufmerksam machte. Am zweiten Tag hatte ich mich an die neue Situation gewöhnt und spulte ganz entspannt mein Musikprogramm ab. Wir waren schon ein eingespieltes Team und fühlten uns so sicher und geborgen, als wären wir mitten in diesem Getümmel zu Hause.

Ich fing an zu singen, und die Münzen prasselten nur so in die Gitarrentasche. *Das macht richtig Spaß*, dachte ich.

Es war wirklich lange her, dass mir etwas so viel Freude bereitet hatte.

Als wir drei Stunden später auf dem Heimweg waren, klimperte in meinem schweren Rucksack wieder ein ganzer Haufen Münzen. Wir hatten schon wieder über sechzig Pfund verdient.

Aber diesmal wollte ich das Geld nicht wieder für ein teures Abendessen ausgeben. Ich hatte da etwas viel Nützlicheres im Auge.

Kapitel 10
Freie Tage

Am nächsten Tag war das Wetter noch schlechter. Also beschloss ich, etwas Zeit mit Bob zu verbringen, anstatt zur Arbeit zu gehen. Wenn er weiterhin mit mir mitkommen wollte, brauchten wir ein paar Sachen. Ich konnte nicht länger mit ihm an einer Leine aus Schuhbändern herumlaufen. Das war auf die Dauer nicht nur unbequem für Bob, sondern auch gefährlich.

Also nahmen wir einen Bus Richtung Archway. Dort gab es eine Zweigstelle der *Cat Protection Charity*, einer Katzenhilfsorganisation mit dazugehörigem Katzenladen.

Bob bemerkte sofort, dass wir nicht die gleiche Strecke fuhren wie an den letzten Tagen. Er sah aus dem Fenster, drehte sich aber immer wieder zu mir um und sah mich neugierig an, als wollte er fragen: »Wohin fahren wir heute?«

In dem Katzenladen gab es alles, was das Herz eines Katzenbesitzers höherschlagen lässt. Halsbänder, Leinen, Spielzeug und sogar Bücher über Katzen.

»Das ist aber ein hübscher Kerl«, sagte eine der beiden Verkäuferinnen. Bob schien sie zu mögen, denn er schmiegte sich eng an ihre Hand, während sie ihm über das Fell strich und ihn mit Koseworten überschüttete.

»Er saß eines Tages im Hausflur«, erklärte ich ihr. »Seither weicht er mir nicht mehr von der Seite. Er fährt sogar mit mir im Bus!«

»Viele Katzen gehen gern mit ihren Besitzern spazieren«, antwortete sie. »Aber die meisten beschränken sich dabei auf einen Park oder ein Stück Gehweg vor dem Haus. Von einer so abenteuerlustigen Katze habe ich bisher noch nie gehört.«

»Was für ein ungewöhnlicher Kater«, mischte sich nun auch die zweite Verkäuferin ein. »Ein Goldstück und ganz offensichtlich hat er beschlossen, Sie nicht mehr aus den Augen zu lassen.«

Da ich mich manchmal immer noch fragte, ob ich vielleicht doch zu wenig unternommen hatte, um Bob die Freiheit wieder schmackhaft zu machen und ob es richtig war, ihn als Wohnungskatze zu halten, waren die Worte der beiden Katzenkennerinnen Balsam für meine Seele.

Umso wichtiger war nun die Frage, wie ich Bob als meinen ständigen Begleiter in der Londoner Innenstadt am besten beschützen konnte. Es lauerten so viele Feinde und Gefahren auf der Straße.

»Am besten nehmen sie so ein Geschirr«, riet mir eine der beiden Verkäuferinnen und holte eine hübsche blaue Nylonkombination mit dazugehöriger Leine von einem Haken.

»Eine Leine direkt an einem Katzenhalsband zu befestigen, ist nämlich keine gute Idee. Schlecht verarbeitete Halsbänder können den Hals der Katze verletzen oder sie würgen. Die besseren Halsbänder sind elastisch, damit sich die Katze daraus befreien kann, falls sie irgendwo damit hängen bleibt. Dafür ist dann aber die Chance groß, plötzlich mit einem leeren Halsband an der Leine dazustehen.«

Genau das wollte ich vermeiden – vor allem im Gewühl der Londoner Innenstadt.

»Mit einem Geschirr und Leine sind Sie auf der sicheren Seite. Das ist wichtig, wenn Sie praktisch täglich mit Bob in der Stadt unterwegs sind.«

»Wird ihm das nicht unangenehm sein?«, fragte ich.

»Etwas Geduld werden Sie schon brauchen, um ihn daran zu gewöhnen«, stimmte sie mir zu. »Es kann schon eine Woche dauern. Anfangs sollte er es nur ein paar Minuten anbehalten und dann jeden Tag etwas länger. Auf jeden Fall sollte er daran gewöhnt sein, bevor er es draußen trägt.«

Das blaue Nylongeschirr kostete dreizehn Pfund. Es war eines der teuersten im ganzen Laden, aber das war mir Bob wert.

Wir übten also zu Hause das Tragen seines neuen »Kleidungsstückes«. Manchmal hängte ich auch die Leine an sein Geschirr. Anfangs irritierte ihn das Gefühl, dauernd von einer langen Nylonschnur verfolgt zu werden, aber er gewöhnte sich ziemlich schnell daran.

»Das hast du gut gemacht«, bestätigte ich ihn jedes Mal, wenn er es eine Weile anbehielt. Loben und Leckerli waren ein wichtiger Bestandteil des Trainings.

Schon nach zwei Tagen konnten wir einen kurzen Spaziergang vor dem Haus wagen. Nach einer Woche war ihm das Geschirr so vertraut wie ein zweiter Pelz. Es störte ihn überhaupt nicht mehr.

Bob kam immer noch jeden Tag mit mir zur Arbeit.

Wir blieben nie allzu lange. Auch wenn ich das Gefühl hatte, er würde mir bis ans Ende der Welt folgen, und auch wenn er immer auf meiner Schulter saß und nicht laufen musste, so wollte ich ihn dem Trubel der Innenstadt nicht zu lange aussetzen.

In der dritten Woche hatte er zum ersten Mal keine Lust, mich zu begleiten. An diesem Tag verzog er sich unter das Sofa, als ich meine Sachen zusammenpackte. Später lag er an seinem Lieblingsplatz unter der Heizung und kam nicht, wie sonst, fröhlich angetrippelt, als ich mir an der Wohnungstür die Jacke anzog.

Die Aussage war eindeutig: »Ich nehme mir heute frei.«

Er schien müde zu sein.

»Keine Lust heute, Bob?«, fragte ich und streichelte ihn.

Sein Blick sagte mehr als viele Worte.

»Kein Problem«, beschwichtigte ich ihn.

Ich schüttete noch etwas Trockenfutter in seine Schüssel, damit er über den Tag etwas zu knabbern hatte. Dabei erinnerte ich mich daran, dass Haustiere sich weniger einsam fühlen, wenn der Fernseher läuft. Keine Ahnung, ob das stimmt, aber zur Sicherheit machte ich die Flimmerkiste für ihn an. Er trottete tatsächlich sofort hinüber zu seinem Fernsehplatz und starrte auf den Bildschirm.

An diesem Tag merkte ich, wie sehr Bob bereits mein Leben verändert hatte. Wenn er dabei war, drehten sich viele Leute nach uns um, ohne Bob war ich wieder unsichtbar.

Immerhin waren wir bei ein paar Kollegen in Covent Garden schon so bekannt, dass einige ihre Verwunderung ausdrückten.

»Wo ist deine Katze?«, fragte mich ein Obststandbesitzer im Vorbeigehen.

»Bob hat heute frei«, gab ich zurück.

»Oh, gut«, lächelte er und machte das »Daumen-hoch«-Zeichen. »Ich hatte schon Angst, dem Kleinen wäre etwas zugestoßen.«

Auch ein paar Pendler blieben stehen, um sich nach Bob zu erkundigen. Sobald ich ihnen versicherte, dass mit Bob alles in Ordnung war, gingen sie weiter. Ohne Bob wollte sich niemand mit mir unterhalten. Das war nicht gerade schmeichelhaft für mich, aber ich musste es akzeptieren. So war das eben.

Als ich am Gehweg auf der James Street mein Programm durchspielte, fielen bei Weitem nicht so viele Münzen in meine Gitarrentasche, als wenn Bob dabei war. Ich brauchte doppelt so viele Stunden, um halb so viel zu verdienen wie an einem guten Tag mit Bob. Aber auch damit konnte ich leben.

Abends auf dem Heimweg begriff ich die Lektion des Tages: Geld war nicht alles. Ich würde nicht verhungern. Bob hatte mein Leben so viel glücklicher gemacht. Es war so schön, ihn bei mir zu haben, er war ein echter Freund. Und er gab mir die Chance, mein Leben wieder in den Griff zu bekommen.

Die Menschen, denen ich als Straßenmusiker begegnete, gaben mir keine Chance. Sie sahen nichts weiter als einen lästigen Schnorrer in mir. Wenn ich sie ansprach, hielten sie mich für einen Bettler. Sie verstanden nicht, dass ich nicht bettelte, sondern arbeitete. Nur weil ich keinen Anzug und Krawatte trug und weil ich keine Aktentasche oder einen Laptop mit mir herumschleppte, bedeutete das nicht, dass ich etwas geschenkt haben wollte.

Durch Bob hatte ich die Chance bekommen, mit den Leuten zu reden.

Wenn sie mich fragten, wo Bob herkam, konnte ich ihnen erklären, wie wir uns gefunden haben und dass ich mit der Straßenmusik das Geld verdiene, um Miete, Strom und Heizungsrechnungen zu bezahlen. Die Leute hörten mir zu und sahen mich in einem anderen Licht als vorher.

Katzen sind bekannt dafür, dass sie genau auswählen, wem sie ihre Zuneigung und ihr Vertrauen schenken. Und wenn eine Katze ihren Besitzer nicht mag, wird sie verschwinden und sich ein neues Zuhause suchen. Das passiert immer wieder. Wenn mich die Leute mit meiner Katze sahen, wurde aus dem »faulen Schmarotzer« ein Mann mit Herz. Allein durch Bobs Anwesenheit war ich wieder ein

Teil der Gesellschaft, nachdem ich so lange ausgeschlossen war. Bob hatte mir meine Identität und damit auch mein Selbstwertgefühl zurückgegeben.

Vor Bob war ich unsichtbar gewesen. Dank ihm gehörte ich wieder dazu.

Kapitel 11
Zwei Musketiere

Plötzlich für jemand anderen verantwortlich zu sein, war eine große Umstellung für mich. Bob war mein Baby und mich darum zu kümmern, dass er es warm hatte, genug zu fressen bekam und aufzupassen, dass ihm nichts passierte, gab meinem Leben wieder Sinn.

Aber es konnte auch ziemlich stressig sein. Ich musste ihn ständig im Auge behalten, besonders, wenn er mich zur Arbeit begleitete. Meine Sorge war berechtigt, denn in den Straßen von London liefen nicht nur gutherzige Touristen und Katzenliebhaber herum. Ich wurde immer noch beschimpft und beleidigt, meistens von betrunkenen Jugendlichen, die damit ihre Freunde beeindrucken wollten.

»Wie wär's mit arbeiten, du langhaariger Penner«, pöbelten sie mich an.

Auf solche Beleidigungen reagierte ich gar nicht. Ich war daran gewöhnt und hatte gelernt, solche Beschimpfungen auszublenden. Aber wenn jemand auf Bob losging, wurde ich zum Löwenvater, der sein Junges verteidigt.

Wie an jenem Freitagabend, als eine Gruppe aufgekratzter junger Kerle an uns vorbeikam. Ich spürte gleich, dass sie ein Opfer suchten. Als sie Bob neben mir auf dem Gehweg sitzen sahen, fingen zwei aus der Gruppe an, ihn mit nachgeäfftem »Wuff« und »Miau« zu ärgern. Die anderen fanden das unglaublich witzig.

Dann verpasste einer der Jungs meiner Gitarrentasche, in der Bob saß, einen Tritt. Die Tasche schlitterte samt Bob ein Stück den Gehweg entlang.

Das war zu viel für meinen sonst so coolen Kater. Mit einem fauchenden Schreckensschrei sprang er entsetzt aus der bisher so sicheren Tasche. Zum Glück war er angeleint, sonst wäre er bestimmt in Panik davongelaufen. Stattdessen versteckte er sich hinter meinem Rucksack.

Ich stand sofort auf und legte mich mit dem Übeltäter an.

»Hey, was soll das?!«, brüllte ich. Ich überragte ihn um einiges, aber das schien ihn überhaupt nicht zu beeindrucken.

Er lachte mir frech ins Gesicht und zischte: »Ich wollte nur mal sehen, ob die Katze echt ist.«

Ich fand das überhaupt nicht lustig.

»Du bist wohl ein ganz Schlauer, was?«, antwortete ich in sarkastischem Tonfall.

Sofort umringten mich seine Freunde und einer von ihnen versuchte, mich mit Brust- und Schulterremplern zu provozieren. Aber ich wich nicht vom Fleck, sondern schubste zurück.

»Na los doch, traut euch!«, forderte ich die Jungs heraus und deutete dabei mit einer Kopfbewegung auf die Überwachungskamera, die an der Straßenecke installiert war. »Ihr werdet gefilmt.«

Ihre dummen Gesichter hätte ich zu gerne fotografiert. Sie wussten also, dass Straftaten, für die es auch noch einen Videobeweis gab, immer hart bestraft wurden. Wütend ließen sie von mir ab, aber nicht, ohne mich mit wüsten Beschimpfungen und beleidigenden Gesten zu überschütten.

Ich dachte an einen englischen Kinderreim: *Stock und Stein brechen mein Gebein, doch Worte bringen keine Pein.* Ihre Beleidigungen prallten an mir ab. Mit Worten konnten mich Fremde schon lange nicht mehr verletzen. Ich war einfach nur froh, dass ich sie losgeworden war.

Trotzdem packte ich gleich zusammen, um mit Bob zu verschwinden. Diesen Typen war alles zuzutrauen. Die konnten nicht mit Niederlagen umgehen, und wenn ich Pech hatte, kämen sie nach ein paar Flaschen Bier wieder zurück. Dieses Risiko wollte ich auf keinen Fall eingehen.

Aus diesem Zwischenfall habe ich zwei Dinge gelernt: Erstens ist es wichtig, dass ich mich bei meiner Arbeit immer im Blickwinkel einer Überwachungskamera aufhalte, und zweitens, dass ich trotz der vielen Passanten um uns herum ganz allein dastehe, wenn ich angegriffen werde. Natürlich war in diesem Moment weit und breit kein Polizist zu sehen gewesen und auch kein Mitarbeiter der U-Bahn. Wir standen mitten im Gewühl, aber niemand hatte es für nötig befunden, uns zu helfen. Jeder hatte sein Bestes gegeben, um sich unauffällig an uns vorbeizuschmuggeln. Einem langhaarigen Straßenmusiker mit Katze wollte niemand beistehen.

Als wir endlich im Bus saßen, flüsterte ich Bob zu: »Wir beide gegen den Rest der Welt, Bob. Wir sind die zwei Musketiere.«

Bob drückte sich an mich und schnurrte leise, als würde er mir zustimmen.

Aber es waren nicht nur solche Typen, vor denen wir uns auf der Straße in Acht nehmen mussten, sondern auch die vielen aufdringlichen Hunde.

Es war keine wirkliche Überraschung, dass die meisten großes Interesse an Bob zeigten, aber zum Glück hatte mein Kater keine

Angst vor Hunden. Entweder beachtete er sie gar nicht oder er funkelte sie so böse an, dass sie gleich Bescheid wussten.

Etwa eine Woche nach dem Zwischenfall mit den Jugendlichen fand ich heraus, wie gut sich Bob gegen aufdringliche Hunde zur Wehr setzen konnte.

Es war an einem späten Nachmittag auf der Neal Street, als ein Mann mit seinem Staffordshire Bullterrier auf uns zukam. Sobald der Bullterrier Bob bemerkt hatte, zog er ungeduldig an der Leine.

Er war nur neugierig, aber nicht auf Bob, wie sich schnell herausstellte, sondern auf die Schüssel mit Trockenfutter, die vor Bob stand. Voller Vorfreude auf eine Extraportion Leckerchen schnüffelte er sich immer näher heran.

Was dann geschah, war einfach unglaublich.

Bob hatte neben mir friedlich vor sich hin gedöst. Als der gierige Hund seinem Futter zu nahe kam, stand er ganz langsam auf und verpasste ihm blitzschnell mit der Pfote einen Schlag auf die Nase. Muhammad Ali wäre stolz auf ihn gewesen.

Der Hund hatte auch nicht damit gerechnet, dass sich eine Katze mit ihm anlegen würde. Erschrocken jaulte er auf und robbte entsetzt rückwärts. Zuerst war ich genauso geschockt wie der Hund, musste dann aber lachen.

Von seinem Besitzer bekam der arme Hund auch noch einen Klaps auf den Kopf. Dann zog er ihn ungeduldig weiter. Ich glaube, es war ihm peinlich, dass eine Katze seinen Respekt einflößenden Hund das Fürchten gelehrt hatte.

Bob legte sich hin und döste weiter, als wäre das Verscheuchen eines großen Hundes nicht aufregender als das Fangen einer lästigen Fliege. Für mich war das ein sehr aufschlussreicher Moment. Bob hatte sich nicht nur furchtlos verteidigt, er war auch noch verdammt gut darin. Wo er das wohl gelernt hatte?

Und schon wieder beschäftigte mich Bobs rätselhafte Vergangenheit: Wo war er aufgewachsen? Welche Abenteuer musste er bestehen, bevor er sich mit mir zusammengetan hatte und der zweite Musketier geworden war?

Kapitel 12
Bobs Macken

Mit Bob an meiner Seite gab es keine Langeweile mehr. Er war eine starke Persönlichkeit mit vielen mehr oder weniger liebenswerten Macken.

Auch noch einen Monat, nachdem er bei mir eingezogen war, weigerte er sich konsequent, das Katzenklo zu benutzen. Immer wenn ich es ihm anbot, nahm er empört Reißaus. Lieber wartete er, bis ich die Wohnung verlassen musste, um dann unten in der Grünanlage sein Geschäft zu verrichten.

Oft genug stellte er damit meine Geduld auf eine harte Probe, denn es war wirklich lästig, ihn fünf Stockwerke hinunter und anschließend wieder hinauf zu begleiten, besonders wenn der Aufzug mal wieder streikte.

Nachdem ich dieses Katzentheater drei Wochen mitgemacht hatte, versuchte ich, ihn zu überlisten: »Es reicht, Bob«, teilte ich ihm mit. »Die nächsten vierundzwanzig Stunden hast du Hausarrest. Dann bleibt dir nichts anderes übrig, als endlich dein Katzenklo zu benutzen.«

Aber Bob gewann auch dieses Kräftemessen. Er hielt durch und wartete – und wartete – und wartete, bis ich nicht länger zu Hause bleiben konnte. Kaum hatte ich die Wohnungstür geöffnet, quetschte er sich an mir vorbei und raste die Treppen hinunter, um schnellstmöglich zu seinen Büschen zu gelangen. Spiel,

Satz und Sieg für Bob. Diesen Kampf würde ich wohl nie gewinnen.

Bob war immer noch ein verspielter Wildfang. Seit der Kastration war er zwar viel ausgeglichener, aber er hatte immer noch mehrmals am Tag seine verrückten fünf Minuten, in denen er wie ein Irrer durch die Wohnung tobte und alles, was er zwischen die Pfoten bekam, zu seinem persönlichen Spielzeug erklärte. Einmal vergnügte er sich eine volle Stunde mit einem Flaschendeckel, indem er das Ding mit den Pfoten hoch in die Luft warf und vor sich her jagte. Ein anderes Mal fand er eine verletzte Hummel, die vergeblich versuchte, vom Wohnzimmertisch wegzufliegen. Als sie auf den Teppich hinunterfiel, hob Bob sie ganz vorsichtig mit den Zähnen auf und setzte sie zurück auf den Tisch. Dann beobachtete er sie weiter, so lange, bis sie wieder vom Tisch fiel und er sie wieder aufhob. Es war zu komisch, ihm dabei zuzusehen. Er wollte ihr nichts tun, sondern nur mit ihr spielen.

Obwohl er bei mir wirklich ausreichend Futter bekam, war er immer noch ganz versessen auf Müll. Jedes Mal, wenn ich ihn nach unten zu seinem Freiluft-Katzenklo brachte, machte er einen Abstecher zu den Müllcontainern. Einmal erwischte ich ihn dabei, wie er einen abgenagten Hühnerschenkel aus einem aufgerissenen Müllsack zog. *Es ist eben schwer, alte Gewohnheiten abzulegen*, dachte ich nachsichtig.

Deshalb verschlang Bob auch immer noch jede Mahlzeit, die ich ihm vorsetzte, in einem Affentempo. Auch das allerletzte Krümelchen wurde noch aufgeschleckt, ganz so, als wüsste er nicht, wann es wieder etwas zu fressen geben würde.

Immer wieder ermahnte ich ihn: »Langsam, Bob, genieß dein Futter«, aber ich hätte genauso gut mit einer Wand reden können.

Er hatte so lange auf der Straße gelebt, dass er die beiden Mahl-
zeiten, die er von mir jeden Tag bekam, immer noch nicht als
selbstverständlich ansah. Ich wusste, wie er sich fühlte. Schließlich
kannte ich dieses Hungergefühl aus meiner Zeit als Obdachloser
nur zu gut. Ich konnte ihm seine Gier nicht übel nehmen.

Bob und ich hatten so viel gemeinsam. Vielleicht war unsere
Bindung deshalb von Anfang an so innig – und sie wurde von Tag
zu Tag stärker.

Es war Frühling geworden, und Bob verlor sein Winterfell. Er rieb
sich an sämtlichen Möbeln und hinterließ überall rote Haarbüschel.
Meine ganze Wohnung war voller Katzenhaare, das machte mich
wahnsinnig. Aber es war auch ein gutes Zeichen, schließlich zeigte
es, dass sein Fell wieder vor Gesundheit strotzte und es ihm auch
körperlich wieder gut ging. Er war immer noch sehr schlank, aber
ich spürte keine Rippen mehr, wenn ich ihn streichelte. Die Medikamente hatten Fell über die kahlen Stellen wachsen lassen und
dank der Antibiotika war auch die tiefe Wunde an seinem Hinterbein komplett verheilt. Wer seine Geschichte nicht kannte, hielt
ihn für einen ganz normalen, gesunden Kater.

Er sah wesentlich besser aus als noch vor einem Monat.

Dafür musste ich ihn nicht einmal baden. Katzen waschen sich
und in diesem Punkt war Bob ganz und gar Katze, er war sogar au-
ßerordentlich reinlich. Ich beobachtete ihn gerne dabei, wie er sich
nach allen Regeln der Kunst zuerst die Pfoten leckte und dann den
Rest seines Körpers methodisch in Angriff nahm. Dieses Ritual fas-
zinierte mich immer wieder, vor allem, weil es zeigte, wie stark die
Hauskatze immer noch mit ihren wilden Vorfahren verbunden ist.

Obwohl Bobs Ahnen in heißen Klimazonen lebten, schwitzten sie nie. Durch das Ablecken ihres Fells produzierten sie mehr Speichel und kühlten sich dadurch ab. Außerdem verlieh es ihnen so etwas wie Harry Potters Unsichtbarkeitsmantel.

Katzen können sich nämlich keinen Eigengeruch leisten. Sie sind sehr erfolgreiche Jäger und müssen sich unauffällig an ihre Beute anschleichen können. Der Speichel von Katzen wirkt wie ein duftfreies Deo und das ist auch ein Grund, warum sich Katzen mehrmals am Tag das Fell lecken. Zoologen haben bewiesen, dass Katzen, die sich Gerüche vom Fell putzen, in der Wildnis länger überleben. Außerdem entgehen sie auf diese Weise ihren natürlichen Feinden wie großen Schlangen, Echsen und anderen Fleischfressern.

Die Fellpflege ist außerdem wichtig, um gesund zu bleiben. Durch die regelmäßige Katzenwäsche vermeiden sie Parasiten wie Läuse, Flöhe und Zecken, die der Katze gefährlich werden können. Das Wundermittel Katzenspeichel wirkt auch noch desinfizierend bei Entzündungen und offenen Wunden. Vielleicht putzte sich Bob deshalb so oft und gründlich. Er wusste, wie krank er gewesen war, und half seinem Körper auf diese Weise, wieder ganz gesund zu werden.

Seit Bob bei mir wohnte, war noch eine neue Macke dazugekommen, an der ich nicht ganz unschuldig war. Er liebte fernsehen.

Zum ersten Mal fiel mir auf, dass er Bewegungen auf einem Bildschirm beobachtete, als ich an einem Computer in der Bücherei saß. Bob hatte sich auf meinen Schoß gesetzt, und wir starrten gemeinsam auf den Monitor. Als ich die Maus bewegte, versuchte er, mit der Pfote den Pfeil auf der Bildfläche zu erhaschen.

Deshalb machte ich zu Hause ein kleines Experiment: Ich schaltete den Fernseher ein und ging dann ins Schlafzimmer, um dort etwas aufzuräumen. Als ich zurückkam, saß Bob tatsächlich auf dem Sofa und starrte aufmerksam auf die Flimmerkiste.

Ich hatte schon von Katzen gehört, die wirklich fernsehen. Belles Kater George, ein Streuner aus einem Londoner Tierheim, war tatsächlich ein großer Fan von *Star Trek: Die nächste Generation*. Sobald er die Titelmelodie der Serie hörte, kam er angerannt, sprang auf das Sofa und verfolgte konzentriert die ganze Folge. Ohne Witz, ich habe es selbst miterlebt, und es war sehr lustig.

Bob wurde schnell zum Fernsehjunkie. Besonders verrückt war er nach Pferderennen. Es war purer Zufall, dass ich das herausfand, weil mich Pferderennen überhaupt nicht interessieren. Aber ich konnte nicht genug davon kriegen, Bob zu beobachten, wenn er sich ein Rennen ansah.

Kapitel 13
Offizielle Anmeldung

Als verantwortungsbewusster Katzenbesitzer kam ich nicht darum herum, Bob chippen zu lassen.

Früher war das Einpflanzen eines Mikrochips bei Hunden und Katzen eine hässliche Prozedur, aber inzwischen ist es ganz einfach. Der Tierarzt schießt den Chip, der eine Seriennummer enthält, mithilfe einer Spritze unter die Haut im Nacken des Tieres. Die Seriennummer wird dann mit den Kontaktdaten des Besitzers in einer Haustierdatenbank gespeichert. Wenn eine gechippte Katze gefunden wird, kann jeder Tierarzt mit einem Scanner die Seriennummer auslesen und herausfinden, wem sie gehört.

Wegen meiner Arbeit brauchte Bob so schnell wie möglich einen Chip. Falls wir uns im Gewühl der Innenstadt wirklich mal verlieren sollten, war dies die einzige Chance, Bob wiederzufinden. Und sollte mir etwas zustoßen, würden die Chipdaten beweisen, dass Bob ein liebevolles Zuhause hatte.

Als ich mir Informationen über den kleinen Eingriff holte, wurde allerdings schnell klar, dass ich mir das gar nicht leisten konnte. Die meisten Tierärzte nahmen für das Einsetzen des Mikrochips sechzig bis achtzig Pfund. So viel blieb bei mir leider nie übrig. Die Lösung dieses Problems kam von meiner Nachbarin Rosi, die sich um die Streunerkatzen in unserem Viertel kümmerte:

»Bring ihn zum Blue Cross. Die haben eine mobile Tierambulanz. Der Bus steht jeden Donnerstag in Islington Green. Da musst du nur den Chip bezahlen. Aber sieh zu, dass du früh dort bist, der Andrang ist immer groß.«

Am folgenden Donnerstag kamen wir zeitig in Islington Green an, aber es hatte sich bereits eine lange Warteschlange gebildet. Zum Glück war es ein sonniger Morgen, sodass wir beim Warten nicht auch noch frieren mussten.

Die Katzenbesitzer hatten ihre Lieblinge in schicken Tragekörben verstaut, während sich die angeleinten Hunde gegenseitig beschnüffelten und miteinander herumalberten. Bob war die einzige Katze, die nicht eingesperrt war, und wurde dafür ausgiebig bewundert.

Nach etwa eineinhalb Stunden Anstehen kamen wir endlich an die Reihe.

»Guten Morgen«, begrüßte uns eine junge Tierarzthelferin mit einem frechen Kurzhaarschnitt. »Was können wir für Sie tun?«

»Was kostet es, meinen Kater hier chippen zu lassen?«, fragte ich sie.

»Fünfzehn Pfund«, gab sie zur Antwort. »Aber wenn das zu viel ist, können Sie es auch gern in wöchentlichen Raten abbezahlen. Wären zwei Pfund pro Woche okay?«

»Oh ja, das wäre gut!« Mir fiel ein Stein vom Herzen. »Das schaffe ich.«

Sie untersuchte Bob kurz, um zu sehen, dass er auch gesund war. Er war in Bestform, seit er sein Winterfell verloren hatte. Er war schlank und sehr muskulös. Danach folgten wir ihr in den Behandlungsraum.

»Guten Morgen«, sagte der Tierarzt und wandte sich dann seiner Assistentin zu.

Ich sah zu, wie die beiden alles für den Eingriff vorbereiteten.

Beim Anblick der riesigen Spritze und Nadel, mit der der Chip unter die Haut transportiert werden sollte, wurde mir ganz flau im Magen. Das Teil sah alt und unangenehm dick aus. Eine dünnere Nadel ging wohl nicht, denn der Mikrochip hatte die Größe eines Reiskorns.

Auch Bob beäugte die Riesenspritze misstrauisch, und ich bekam ein schlechtes Gewissen. Zum ersten Mal, seit ich ihn kannte, versuchte er, sich zappelnd und windend aus meinen Armen zu befreien.

»Es wird schon nicht so schlimm werden, Kumpel«, redete ich beruhigend auf ihn ein und streichelte ihm Bauch und Hinterpfoten.

Als der Arzt die Nadel in seinen Nacken jagte, schrie Bob gequält auf. Das drang mir durch Mark und Bein. Er zitterte vor Schmerz und mir trieb es fast die Tränen in die Augen, weil ich meinen kleinen Freund nicht leiden sehen konnte. Aber zum Glück war alles innerhalb von Sekunden vorbei, und Bob beruhigte sich sofort wieder.

»Das hast du gut gemacht, Kumpel«, lobte ich ihn leise.

Zum Trost bekam er ein paar Lieblingssnacks aus meinem Rucksack. Dann hob ich ihn vorsichtig hoch, und wir gingen zurück zum Empfangsbereich.

»So«, sagte die Tierarzthelferin, »jetzt brauchen wir nur noch Ihre Kontaktdaten, um sie in die Datenbank einzutragen. Name, Adresse, Alter, Telefonnummer und so weiter.«

Während ich ihr zusah, wie sie das Formular ausfüllte, wurde mir die volle Tragweite dieses Schrittes bewusst.

»Heißt das, ich bin jetzt sein rechtmäßiger Besitzer?«, fragte ich.

»Ja«, lächelte sie. »Wenn das für Sie in Ordnung ist?«

»Aber ja, das ist toll«, antwortete ich überwältigt. »Das ist einfach wunderbar.«

Ich strich Bob übers Köpfchen. Bestimmt spürte er immer noch den Einstich der dicken Nadel und ich wollte seinen Nacken nicht berühren. Wahrscheinlich hätte er mich auch gekratzt, wenn ich so gedankenlos gewesen wäre.

»Hast du das gehört, Bob?«, fragte ich ihn mit breitem Grinsen. »Wir sind jetzt ganz offiziell eine Familie.«

An diesem Tag fielen wir beide bestimmt noch mehr auf als sonst, als wir durch den Stadtteil Islington gingen. Ich grinste von einem Ohr zum anderen und konnte gar nicht mehr damit aufhören.

Bob hatte mein Leben nicht nur komplett umgekrempelt, sondern mich auch dazu gebracht, mir einen Spiegel vorzuhalten und mich selbst zu hinterfragen. Das Ergebnis war niederschmetternd.

Auf meinen Status »Drogenabhängiger in einem Entzugsprogramm« war ich alles andere als stolz. Deshalb hatte ich für mich auch die Regel aufgestellt, Bob niemals mitzunehmen, wenn ich zur Drogenklinik oder zur Apotheke ging, um meine tägliche Ration Methadon abzuholen. Methadon ist eine Ersatzdroge, die mir half, die Heroinsucht zu überwinden. Auch wenn das verrückt klingt, aber ich wollte nicht, dass Bob mit dieser Seite meiner Vergangenheit in Berührung kam. Dank Bob glaubte ich inzwischen auch selbst daran, dass ich die Sucht für immer überwinden konnte. Endlich war es wichtig für mich geworden, clean zu werden und drogenfrei leben zu können – ich wünschte mir nichts mehr als ein ganz normales Leben mit Bob.

Ein paar Tage nachdem Bob seinen Mikrochip bekommen hatte, fand ich beim Aufräumen in meinem Schrank die kleine Kiste, in der ich alle Utensilien aufbewahrte, die man als Junkie braucht. Es löste in mir eine Menge schlechter Erinnerungen aus. Es war, als wäre ich einem Geist aus meiner Vergangenheit begegnet. Oder besser gesagt, es löste Bilder in mir aus, die ich tief in mir vergraben hatte und an die ich mich nie wieder erinnern wollte.

In diesem Moment wusste ich: »Diese Kiste muss weg.« Auch wenn ich sie gut versteckt hatte, wollte ich sie nicht mehr in Bobs Nähe wissen.

Sofort brachte ich sie nach unten zu den Müllcontainern und natürlich dackelte Bob hinter mir her. Er sah mir zu, wie ich das ekelige Relikt in die Tonne für Sondermüll warf.

»Erledigt«, sagte ich zu Bob, der mir aufmerksam zugesehen hatte. In seinem Blick lag so etwas wie Anerkennung. Ich musste unweigerlich grinsen. »Du hast recht – das war schon lange fällig.«

Kapitel 14
Der Ausreißer

Das Leben auf der Straße hat viele Tücken. Man muss immer auf der Hut sein und sich auf alles gefasst machen. Deshalb war ich auch nicht allzu überrascht, als gegen Ende des Sommers die Arbeit in Covent Garden für uns Straßenkünstler noch schwieriger wurde.

Bob war immer noch ein Publikumsmagnet, besonders bei den Touristen. Menschen aus aller Herren Ländern blieben stehen und redeten auf ihn ein. Seit ich mit ihm unterwegs war, hatte ich von Afrikaans bis Walisisch praktisch jede Fremdsprache dieser Erde zu hören bekommen und kannte inzwischen das Wort »Katze« in fast allen Sprachen. In Tschechisch war das *Kočka*, in Russisch *Koshka* und in Türkisch *Kedi*; bei den Japanern hieß es *Neko* und in Chinesisch – mein Lieblingswort – *Mao*.

Egal, wie seltsam oder melodisch eine Sprache klang, die Aussage blieb dieselbe: Alle liebten Bob.

Es waren ein paar »Einheimische«, die uns das Leben schwer machten.

»Dieser Bereich ist nur für menschliche Statuen!«, wurde ich beim Gitarre spielen in der James Street von einem Covent Guardian zurechtgewiesen.

»Aber von denen ist doch eh keiner da«, versuchte ich mich zu verteidigen.

»Aber so sind die Regeln«, beharrte er.

Niemand kann auf der Straße überleben, ohne die eine oder andere Regel zu brechen. Deshalb verzog ich mich bei jedem Verweis für ein paar Stunden in den Bereich für Musiker und schlich mich dann wieder zurück in die James Street. Dieses Risiko nahm ich gerne auf mich, denn dort verdiente ich einfach mehr.

Auch den Mitarbeitern der U-Bahn-Station passte plötzlich meine Anwesenheit vor dem Eingang ihres Arbeitsplatzes nicht mehr. Eines Tages kam ein extrem unsympathischer Kontrolleur in blauer, durchgeschwitzter Uniform auf uns zugestürzt.

Bob hatte einen sechsten Sinn für unangenehme Personen und witterte Ärger schon von Weitem. Auch diesen lästigen Zeitgenossen hatte er bereits lange vor mir bemerkt und drückte sich schutzsuchend an mich, als dieser auf uns zustürmte.

»Entweder Sie verschwinden von hier oder Sie werden mich kennenlernen«, brüllte er ohne Vorwarnung los.

Aber so schnell ließ ich mich nicht einschüchtern. »Ja wie, kennenlernen?«

»Das werden Sie schon sehen«, knurrte er. »Das ist eine Warnung, Freundchen!«

Außerhalb der U-Bahn-Station hatte er natürlich überhaupt nichts zu melden. Das waren nur leere Drohungen und seine persönliche Abneigung gegen mich, vermutete ich. Trotzdem hielt ich es für klüger, meinen Lieblingsplatz für eine Weile zu meiden.

Zuerst wich ich an die Ecke James Street, Neal Street aus. Dort konnten uns die Mitarbeiter der U-Bahn nicht mehr sehen. Aber leider kamen dort auch viel weniger Leute vorbei, und das Publikum war lange nicht so spendabel wie die Besucher von Covent Garden. Außerdem traten immer wieder irgendwelche unachtsamen Idioten gegen meinen Rucksack oder versuchten bewusst, Bob zu erschrecken. Sobald ich dort unser Lager aufschlug, rollte sich Bob zu einem abwehrenden Ball zusammen und beobachtete aus zusammengekniffenen Augen misstrauisch sein Umfeld. Es war seine Art, mir klarzumachen: »Hier gefällt's mir nicht!«

Deshalb ging ich ein paar Tage später zur Abwechslung mal durch Soho zum Piccadilly Circus.

Die Gegend östlich vom Piccadilly Circus, mit der Straße, die zum Leicester Square führt, war bei Straßenmusikern sehr beliebt. Deshalb wollte ich es dort auch mal versuchen. Ich fand einen guten Platz in der Nähe des Haupteingangs zur Piccadilly U-Bahn-Station und ließ mich gegenüber der Ausstellung *Ripley's unglaubliche Welt* nieder.

An diesem Spätnachmittag waren Hunderte von Touristen unterwegs zu den Kinos und Theatern im West End. Auch hier verlangsamten viele Leute beim Anblick von Bob ihren Schritt oder blieben stehen. Unser Tagesminimum an Einnahmen war schnell erreicht. Aber Bob war nervös. Er rollte sich noch fester als sonst in meiner Gitarrentasche zusammen. Er mochte es nicht, wenn wir den Standort wechselten, denn ein fremdes Revier war ihm einfach zu unheimlich.

Aber alles lief gut, bis gegen sechs Uhr abends die Stoßzeit begann und die Menschenmenge um uns herum noch größer wurde. Genau dann trat auch noch eine Werbefigur für *Ripley's unglaubliche Welt* auf die verstopfte Straße, um die Leute reinzulotsen.

Er trug ein aufblasbares Plastikkostüm, das ihn dreimal so dick aussehen ließ. Mit einladenden Handbewegungen versuchte er die Leute aus der Menge dazu zu bewegen, in die Ausstellung zu gehen. Bob beobachtete ihn misstrauisch, und ich konnte es ihm nicht verdenken, denn der Typ war echt monströs.

Ich war erleichtert, als er sich wieder hinlegte und den Dicken nicht weiter beachtete. Aber dann stand der Kerl plötzlich neben uns, und das Unglück nahm seinen Lauf.

»Hallo, kleiner Mann!«, sagte er und beugte sich in seinem verrückten Kostüm vor, um Bob zu streicheln.

Mit einem Satz war Bob aus der Gitarrentasche gesprungen und raste in die Menge. Dabei schleifte er die neue Leine hinter sich her, die an seinem Geschirr befestigt war. Noch bevor ich reagieren konnte, war er bereits im U-Bahn-Eingang verschwunden.

Mir gefror das Blut in den Adern. *Er ist weg!*, dachte ich entsetzt und mein Herz pochte wie wild. *Ich habe ihn verloren!*

Sofort sprang ich auf und stürzte hinter ihm her. Vor lauter Angst um Bob ließ ich alles stehen und liegen.

Doch durch die träge Menschenmasse kam ich nur langsam voran. Müde Bürohengste auf dem Heimweg von der Arbeit, frühe Nachtschwärmer auf dem Weg ins West End und natürlich Touristen über Touristen. Ich musste mich vorwärtsquetschen und durchdrängeln, um den U-Bahn-Eingang zu erreichen.

In diesem Wust aus Leibern, die sich mir entgegendrückten, war es unmöglich, einen kleinen Kater zu entdecken. Erst als ich am Ende der Treppe in der Bahnhofshalle angekommen war, lichtete sich das Getümmel etwas. Es waren immer noch zu viele Leute um mich herum, aber zumindest konnte ich stehen bleiben und mich umsehen. Ich hockte mich hin, um den Boden abzusuchen. Dafür erntete ich diverse schiefe Blicke, aber das war mir egal.

»Bob! Bob! Wo bist du, Kumpel?«, brüllte ich verzweifelt.

Es war sinnlos. Es war einfach zu laut.

Sollte ich zu den Drehkreuzen laufen, die zu den Rolltreppen und den Zügen führten, oder zu einem der vielen anderen Ausgänge? Wohin würde Bob sich in seiner Panik am ehesten wenden? Ich verwarf den Gedanken an die Züge. Wir waren noch nie zusammen U-Bahn gefahren, und die Rolltreppen wären ihm bestimmt unheimlich.

Also lief ich zu den Ausgängen, die auf die andere Seite des Piccadilly Circus führten.

Zwei Sekunden später sah ich auf einer der Treppen etwas Rotes aufblitzen. Und dann den Zipfel einer Leine, die hinterherschleifte.

Kapitel 15
Wieder vereint

»Bob«, brüllte ich immer wieder und drängelte mich verzweifelt durch die Menge. »Bob!«

Ich kam ihm zwar näher, aber das Gewühl war so dicht, dass ich nicht an ihn herankam. Eine Flut von Neuankömmlingen drängte die Treppen nach unten in den Bahnhof.

»Halten Sie ihn auf! Treten Sie auf seine Leine, bitte!«, schrie ich in die Menge, während ich noch einen letzten Blick auf ein kleines Stück rotes Fell erhaschte. Aber niemand beachtete mich.

Sekunden später war die Leine weg. Bob hatte wohl den Ausgang erreicht, der zur Regent Street führte, und war von dort aus weitergelaufen.

Inzwischen schossen mir tausend Gedanken gleichzeitig durch den Kopf und jeder einzelne war eine Qual. Wenn Bob nun am Piccadilly Circus auf die Straße gelaufen war? Wenn ihn jemand eingefangen und mitgenommen hatte? Als ich endlich am Ausgang angelangt war, war ich völlig am Ende mit den Nerven. Am liebsten hätte ich sofort losgeheult, denn ich glaubte, dass ich Bob nie wiedersehen würde.

Mir wurde ganz schlecht bei dem Gedanken, und ich machte mir die größten Vorwürfe. Warum hatte ich seine Leine nicht am Rucksack oder an meinem Gürtel festgebunden? Warum hatte ich seine Angst vor dem *Ripley's*-Mitarbeiter nicht ernst genommen?

Wäre ich nur ein Stück weitergegangen, dann wäre das alles nicht passiert.

Wo sollte ich jetzt suchen? Ich vermutete, dass Bob geradeaus weitergelaufen war – auf dem breiteren Gehweg der Regent Street. Völlig aufgelöst lief ich die Straße entlang.

»Haben Sie meine Katze gesehen? Eine rote Katze!«

Ich fragte jeden, der mir entgegenkam. Wahrscheinlich sah ich aus wie ein Irrer.

Dreißig Meter die Straße hinunter fiel mir eine junge Frau mit einer großen Tüte von einem Laden an der Ecke Oxford Street, Regent Street auf. Sie kam ganz offensichtlich vom anderen Ende der Straße, wo ich hinwollte.

»Haben Sie eine Katze gesehen?«, fragte ich sie flehend.

»Ja, habe ich.« Ihre Worte lösten sofort ein warmes Glücksgefühl in mir aus. »Sie ist in diese Richtung gerannt. Eine rote Katze, und sie hat eine Leine hinter sich hergeschleift. Ein Mann hat versucht, auf die Leine zu treten, um sie einzufangen, aber die Katze war schneller als er.«

Bob! Ich freute mich so sehr, dass ich die Unbekannte am liebsten geküsst hätte. Aber aus diesem Hochgefühl wurde schnell wieder Angst. Wer war der Mann, der ihn einfangen wollte? Vielleicht hatte diese Aktion Bob noch mehr in Panik versetzt. Wer weiß, wo er sich inzwischen verkrochen hatte! Wie sollte ich ihn jetzt bloß noch finden?

Während all diese Gedanken in meinem Kopf herumwirbelten, rannte ich weiter die Regent Street entlang und steckte meinen Kopf in jeden Laden, der auf meinem Weg lag.

»Haben Sie eine rote Katze gesehen?«

Die meisten Verkäuferinnen in den edlen Geschäften wichen beim Anblick eines verstörten, langhaarigen Hünen entsetzt zurück. Ich sah ihnen an, was sie dachten. Was für ein Stück Dreck hat der Wind denn da hereingeblasen?

Ich hatte keine Ahnung, wie lange Bob nun schon verschwunden war. Für mich war die Zeit stehen geblieben, und ich steckte fest in einem nicht enden wollenden Albtraum. Ich war kurz davor, aufzugeben.

Nur ein paar Meter weiter die Regent Street hinunter kam eine Seitenstraße, die zurück zum Piccadilly Circus führte. Von dort aus könnte Bob in zwölf verschiedene Richtungen weiterlaufen. Dann würde er nie wieder zurückfinden.

Ich versuchte mein Glück in einem weiteren Laden.

»Haben Sie eine Katze gesehen?«, fragte ich schon ziemlich hoffnungslos.

Die Gesichter der beiden Verkäuferinnen erhellten sich.

»Einen roten Kater?«, fragte die eine.

»Ja! Er trägt ein Geschirr mit einer Leine dran.«

»Er ist hier hinten«, sagte die andere Frau und winkte mich herein. »Machen Sie die Tür zu, damit er nicht weglaufen kann. Wegen der Leine haben wir gehofft, dass ihn jemand suchen würde.«

Sie führte mich zwischen offenen Schränken, die mit sehr schicken Klamotten gefüllt waren, nach hinten. Jedes einzelne Teil kostete mehr, als ich in einem Monat verdiente. Und dann sah ich ihn. Er hatte sich in der hintersten Ecke eines Wandschranks zusammengerollt.

Auf einmal schoss mir die Frage durch den Kopf, ob Bob absichtlich so weit weggelaufen war. Vielleicht hatte er ja die Nase voll von dem mickrigen Leben, das er an meiner Seite führen musste. Als ich auf ihn zuging, machte ich mich darauf gefasst, dass er wieder flüchten würde. Aber ich hatte mir ganz umsonst den Kopf zerbrochen.

Kaum hatte ich leise »Hey Bob, ich bin's!« geflüstert, als er auch schon stürmisch in meine Arme sprang.

Alle meine Ängste lösten sich in Luft auf, als er laut schnurrend seinen Kopf an meinem Kinn und meiner Wange rieb.

»Hast du mich erschreckt, Kumpel«, sagte ich und konnte gar nicht mehr aufhören, ihn zu streicheln. »Ich habe schon gedacht, ich hätte dich verloren.«

Die beiden Verkäuferinnen standen daneben und beobachteten uns. Eine wischte sich sogar eine Träne von der Wange.

»Ich bin so froh, dass Sie ihn wiedergefunden haben«, sagte sie lächelnd. »Er ist bestimmt ein wunderbarer Kater. Wir haben uns schon gefragt, was wir mit ihm machen sollen, falls bis zum Feierabend keiner kommt.« Dabei streichelte sie Bob.

Wir unterhielten uns noch ein bisschen, während ihre Kollegin die Kasse abschloss, um Feierabend zu machen.

»Wiedersehen, Bob«, sagten die beiden und winkten, als ich den Laden verließ, um mich mit Bob auf meiner Schulter wieder ins Gewühl zu stürzen und zum Piccadilly Circus zurückzulaufen.

An dem Platz angekommen, wo ich alle meine Habseligkeiten Hals über Kopf zurückgelassen hatte, stellte ich fest, dass meine Gitarre tatsächlich noch da war. Vielleicht hatte ja der Sicherheitsdienst am Eingang von *Ripley's* darauf aufgepasst oder einer der Streifenpolizisten. Sie alle mochten Bob. Ich war froh, dass meine Gitarre noch da war, aber wichtig war es mir nicht. Alles was zählte, war, dass ich Bob wiedergefunden hatte und wir wieder vereint waren.

Ich packte sofort meine Sachen zusammen und machte Schluss für diesen Tag. Wir hatten zwar nicht viel verdient, aber das war egal. Mit dem Geld, das ich vor dem Zwischenfall eingenommen hatte, kaufte ich im nächsten Laden einen Karabinerhaken, den ich

n diesem Wohnhaus ...

... fing alles an.

Bob ist immer dabei …

… natürlich auch im Bus.

Bob verzaubert
die Menschen …

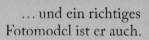

… und ein richtiges
Fotomodel ist er auch.

Mh, das schmeckt!

Sauber machen nicht vergessen!

Bobs Lieblingsplatz

Hm, was ziehe ich heute an?

Bobs eigener Fahrausweis

Ausflug in die Stadt

ie Tierambulanz Blue Cross half Bob, wieder auf die Beine zu kommen.

ier lassen wir regelmäßig Bobs Mikrochip checken.

Guck mal, Bob, da sind wir!

mir an den Gürtel hängte und daran Bobs Leine befestigte. Auf diese Weise würden wir ab sofort immer aneinanderhängen.

An diesem Abend saß Bob im Bus auf meinem Schoß, anstatt wie üblich auf seinem eigenen Sitz neben mir. Ich wusste genau, was er dachte, denn mir gingen dieselben Gedanken durch den Kopf:

»Wir sind wieder vereint, und das wird sich hoffentlich nie mehr ändern.«

Kapitel 16
Der Weihnachtskater

Seit dem Drama am Piccadilly Circus gab es Tage, an denen Bob lieber zu Hause blieb. Wenn ich sein Geschirr zur Hand nahm und er unter das Sofa flüchtete oder sich unter dem Tisch versteckte, war das seine Art, mir mitzuteilen: »Heute nicht!«

»Alles klar, Kumpel, kein Problem!«, versicherte ich ihm dann und ging allein zur Arbeit.

Aber die meiste Zeit wollte er unbedingt mitkommen. Die Geschichte am Piccadilly Circus hat uns noch mehr zusammengeschweißt. Es war eine Prüfung für unsere Beziehung gewesen – und ich hatte sie bestanden. Bob gab mir das Gefühl, dass er mehr denn je bei mir sein wollte.

Obwohl ihn meine Arbeit immer wieder an seine Grenzen brachte. So zum Beispiel auch etwa zwei Wochen nach Bobs schrecklicher Begegnung mit *Ripley's* Riesen, als eine Gruppe von Straßenkünstlern auf hohen Stelzen in Covent Garden an uns vorüberzog. Es waren französische Schausteller mit gruseligen Horrormasken vor dem Gesicht.

Bob hatte eine Heidenangst vor ihnen. Er drückte sich ganz nah an mich, und sein Schwanz schlug aufgeregt gegen den Gitarrenhals, während ich versuchte, zu spielen.

»Bob, kannst du das bitte lassen?«, bat ich ihn und entschuldigte mich bei den Touristen, die stehen geblieben waren, um zuzuhören.

99

Aber die lachten nur. »Das ist wirklich lustig«, sagten einige, wahrscheinlich weil sie dachten, das würde zu unserer Show gehören.

Sobald die Stelzenkünstler verschwunden waren, gab Bob wieder ganz den coolen Kater und rückte ein Stück von mir ab.

Er hielt mich für seinen Bodyguard und den spielte ich wirklich sehr gerne für ihn.

Bis zur Adventszeit 2007 waren wir ein eingespieltes Team.

Jeden Morgen, wenn ich aufstand, saß Bob bereits geduldig vor seiner leeren Schüssel in der Küche. Er verschlang sein Frühstück und widmete sich dann seiner morgendlichen Katzenwäsche, wobei er sich immer zuerst die Pfoten und dann das Gesicht sauber leckte. Danach ließ ich ihn meistens hinaus auf den Flur. Er fand inzwischen alleine nach unten und auch wieder zurück ins Haus. In der Zwischenzeit packte ich meinen Rucksack, schnappte mir die Gitarre, und wir machten uns auf den Weg in die Innenstadt.

Je näher Weihnachten rückte, desto mehr Menschen waren in Covent Garden unterwegs und umso mehr Geschenke gab es für Bob.

Bob war schon immer von Leuten beschenkt worden. Sein erstes Geschenk bekam er von einer Frau, die in einem nahegelegenen Büro arbeitete.

»Ich hatte auch mal so einen roten Kater«, seufzte sie, als sie stehen blieb, um sich mit uns zu unterhalten. »Bob erinnert mich so sehr an ihn.«

Ein paar Abende später stand sie mit einer schicken Tüte aus einem teuren Katzengeschäft vor uns. »Ich hoffe, es stört Sie nicht, aber ich habe Bob ein kleines Geschenk mitgebracht«, sagte sie strahlend und holte eine kleine, mit Katzenminze gefüllte Maus hervor.

Katzen lieben Katzenminze und Bob war da keine Ausnahme. Die Dame blieb eine Weile stehen und sah Bob zu, wie er begeistert mit der Maus spielte.

Als das Wetter schlechter wurde, brachten die Leute immer mehr praktische Geschenke.

Eines Tages sprach uns eine Frau mit russischem Akzent an: »Es ist so kalt geworden, und da dachte ich, ich stricke etwas für Bob, das ihn warm hält.«

Dann holte sie aus ihrer Handtasche einen wunderschönen hellblauen Schal hervor.

»Wow! Der ist ja toll! Vielen Dank!«

Ich schlang ihn sofort um Bobs Hals. Er passte perfekt und Bob sah damit einfach umwerfend aus.

Die Russin war hin und weg, weil Bob den Schal offenbar mochte und nicht versuchte, ihn wieder loszuwerden. Ein oder zwei Wochen später kam sie mit einem dazu passenden Mäntelchen für Bob zurück. Ich war zwar kein Mode-Experte, aber Bob sah wirklich schick aus darin. Es dauerte nicht lange und die Leute standen Schlange, um Bob in seinem stylischen Winter-Outfit zu fotografieren.

Seither hatte Bob so einiges an Kleidung geschenkt bekommen. Auf einem Schal war sogar sein Name gestickt. Bob wurde zum Model, und das englische Wort »Catwalk« bekam eine ganz neue Bedeutung.

Es bestätigte meine Vermutung, dass ich nicht der Einzige war, der Bob liebte. Fast jeder, der ihn kennenlernte, wollte sein Freund sein. Um diese Gabe beneidete ich Bob ein bisschen, denn mir war es leider schon immer schwergefallen, Freunde zu finden.

Aber niemand hatte sich so sehr in Bob verliebt wie meine Freundin Belle. Sie kam regelmäßig bei mir vorbei, um mich zu besuchen – aber auch wegen Bob. Die beiden spielten oft stundenlang auf dem Sofa miteinander. Bob war auch ganz verrückt nach Belle.

Etwa eine Woche vor Weihnachten stand Belle mit einer Plastiktüte vor meiner Wohnungstür. Sie grinste wie ein Honigkuchenpferd.

»Was hast du da drin?«, wollte ich wissen.

»Das ist nicht für dich!«, sagte sie spöttisch. »Das ist für Bob.«

Bob hob interessiert den Kopf, als er seinen Namen hörte.

»Komm her, Bob, ich habe eine Überraschung für dich«, lockte sie ihn und ließ sich dabei mit ihrer Tüte aufs Sofa fallen.

Bob kam neugierig näher. Belle zog zwei kleine T-Shirts aus der Tüte. Auf einem prangte ein süßes Foto von einem Katzenbaby. Das andere war rot mit grüner Umrandung. Darauf stand in großen weißen Buchstaben das Wort »Santa Paws«, Weihnachtskater, mit einem großen Pfotenabdruck darunter.

»Oh, Bob, ist das cool!«, sagte ich lachend. »Das perfekte T-Shirt für die Adventszeit. Das wird den Leuten gefallen.«

Und so war es auch.

Ich weiß nicht, ob es an der vorweihnachtlichen Stimmung lag oder an Bobs T-Shirt, auf jeden Fall kam es sehr gut bei den Leuten an.

»Oh, sieh mal, da ist Santa Paws«, hörte ich den ganzen Tag.

Viele Leute blieben stehen und warfen ein paar Münzen in meine Gitarrentasche. Andere wollten Bob beschenken.

»Ist er nicht umwerfend?«, rief eine elegante Dame und blieb stehen, um Bob zu streicheln. »Was wünscht er sich denn zu Weihnachten?«

»Keine Ahnung, Madam«, antwortete ich.

»Okay, dann frage ich mal anders: Was könnte er brauchen?«

»Hm, ein zweites Geschirr wäre nicht schlecht«, überlegte ich laut. »Einen Mantel, der ihn auch noch bei Minusgraden warm hält. Oder Katzenspielzeug. Jedes Kind wünscht sich Spielzeug zu Weihnachten, nicht wahr?«

»Alles klar«, sagte sie und ging weiter.

Ich hatte die Begegnung gleich wieder vergessen, aber etwa eine Stunde später stand sie wieder vor uns. Mit einem breiten Lächeln präsentierte sie mir einen hübschen, handgestrickten Strumpf mit weihnachtlichen Katzenmotiven. Er war bis obenhin bestückt mit Futter, Spielzeug und einer Menge anderer Sachen, die ein Katzenherz höherschlagen lassen.

»Sie müssen mir versprechen, ihm das Geschenk erst zu Weihnachten zu geben«, sagte sie, während sie Bob streichelte. »Bis dahin stellen Sie den Strumpf unter Ihren Weihnachtsbaum, ja?«

Ich brachte es nicht übers Herz, ihr zu sagen, dass ich weder Geld für eine überteuerte Tanne noch für die dazugehörige Dekoration hatte. Das Einzige, das ich Bob an Weihnachtsdeko bieten konnte, war ein elektrisch beleuchteter Mini-Tannenbaum aus Plastik, dessen USB-Stick in die alte Xbox passte, die ich vor Kurzem in einem Secondhandladen gekauft hatte.

Aber dann überlegte ich mir, dass die Dame recht hatte. Diesmal sollte ich einen richtigen Baum besorgen. Schließlich gab es etwas zu feiern: Ich war nicht mehr allein. Ich hatte Bob.

Ich gehörte zu den Leuten, die Weihnachten einfach nicht mochten.

In den letzten zehn Jahren hatte ich die meisten Weihnachtsabende in irgendwelchen Unterkünften verbracht, die ein großes Festessen für Obdachlose organisierten. Das war immer sehr gut gemeint, und ich hatte auch immer Spaß mit den anderen. Aber trotzdem saß mir an diesen Abenden immer ein Kloß im Hals, weil mich dieser Festtag wie kein anderer daran erinnerte, was mir am meisten fehlte: ein normales Leben mit einer eigenen Familie. Zu Weihnachten konnte ich nicht verdrängen, wie sehr ich mein Leben verpfuscht hatte.

Ein oder zwei Mal habe ich Weihnachten alleine verbracht und mich dabei bemüht, zu vergessen, dass meine Mutter am anderen Ende der Welt lebte. Auch der Versuch, Weihnachten mit meinem Vater in seinem Haus im Süden von London zu feiern, war kläglich gescheitert. Er hielt nicht viel von mir, und das konnte ich ihm auch nicht übel nehmen. Ich war kein Sohn, auf den er stolz sein konnte. Wir haben diese Art von »Familienfest« nie wiederholt.

Aber in diesem Jahr war alles anders. Ich lud Belle ein, den Heiligabend mit Bob und mir zu verbringen. Für den ersten Weihnachtstag hatte ich mich in Unkosten gestürzt und fertig zubereitete Truthahnbrust mit sämtlichen Beilagen besorgt. Auch für Bob hatte ich alle möglichen Leckereien und seine Lieblingssorte »Hühnchen in feiner Soße« eingekauft.

An diesem Tag standen wir früh auf und machten gleich einen kleinen Spaziergang, damit Bob sein Geschäft erledigen konnte. Auch andere Familien aus unserem Häuserblock waren schon unterwegs, um Verwandte oder Freunde zu besuchen.

»Frohe Weihnachten«, wünschten sie uns im Vorbeigehen.

Und ich antwortete mit breitem Grinsen: »Wir wünschen Ihnen auch frohe Weihnachten.«

Mir war ganz warm ums Herz, wie man so schön sagt. So gut hat sich Weihnachten noch nie angefühlt.

Zurück in der Wohnung bekam Bob seinen prall gefüllten Weihnachtssocken.

»Schau mal, Kumpel, alles für dich«, lockte ich ihn an.

Ich holte ein Geschenk nach dem anderen für ihn heraus. Da waren Leckerlis, Mäuse, Bälle und kleine, weiche Kissen, die mit Katzenminze gefüllt waren. Bob war ganz aufgeregt und spielte mit seinem neuen Spielzeug wie ein überdrehtes Kind. Ich hatte meinen Spaß, ihm dabei zuzusehen.

Am frühen Nachmittag bereitete ich unser Festessen zu und setzte uns beiden ein weihnachtliches Partyhütchen auf. Dann genehmigte ich mir eine Dose Bier, und wir kuschelten uns aufs Sofa und sahen den ganzen Nachmittag und Abend lang fern.

Für mich war es das schönste Weihnachtsfest seit vielen Jahren.

Kapitel 17
Die Verwechslung

Im Sommer 2008 war es fast unmöglich geworden, in London als Straßenmusiker zu überleben. Die weltweite Wirtschaftskrise machte sich auch in London bemerkbar. Viele Menschen hatten Geld verloren oder waren arbeitslos geworden. Die Spendenfreudigkeit nahm rapide ab. Die Leute konnten sich Wohltätigkeit einfach nicht mehr leisten.

Zu allem Überfluss fingen die Covent Guardians dann auch noch an, einen Kleinkrieg gegen Straßenkünstler zu führen, die nicht in ihrem zugewiesenen Bereich blieben. Also auch gegen mich.

»Ich nehme Ihnen die Gitarre weg, wenn ich Sie hier noch einmal erwische«, drohte mir einer.

Dazu kamen die Mitarbeiter der U-Bahn, denen es auch nicht passte, dass ich vor dem Eingang der Haltestelle Covent Garden saß. Inzwischen verbrachte ich mehr Zeit mit Verstecken als mit Gitarre spielen, und ich wusste auch nicht mehr, wohin ich noch gehen sollte.

Eines Tages war ich mit Dylan, einem Freund, der ein paar Tage bei mir wohnte, auf dem Weg nach Covent Garden. Er hatte mich an diesem Morgen gefragt, ob er mitkommen könnte: »Es ist so ein schöner, sonniger Tag und ich habe Lust, ein bisschen durch die Stadt zu laufen.«

Wenn ich bedenke, was dann passierte, kann ich unser Glück immer noch nicht fassen, dass er an diesem Tag dabei war.

Kaum hatte ich mir die Gitarre umgehängt, hielt ein Polizeibus mit quietschenden Reifen vor uns am Straßenrand. Drei Beamte in Uniform sprangen heraus.

»Sie kommen sofort mit!«, befahl einer von ihnen und zeigte dabei auf mich. »Wir nehmen Sie wegen des Verdachts auf Nötigung fest.«

Die beiden anderen Polizisten packten mich und legten mir Handschellen an, während der erste mir meine Rechte vorlas. Völlig überrumpelt ließ ich alles über mich ergehen. Ich war mir keiner Schuld bewusst.

Mir blieb gerade noch Zeit, Dylan zuzurufen: »Bitte, kümmer dich um Bob! Bring ihn nach Hause. Die Schlüssel sind im Rucksack.«

Bob hatte sich verschreckt in der Gitarrentasche zusammengekauert und bekam nun mit, wie ich abgeführt wurde. Mir blieb noch ein letzter Blick auf Bob und Dylan aus dem vergitterten Rückfenster des Polizeibusses.

Früher hatte ich öfter mit der Polizei zu tun gehabt, weil sie mich immer mal wieder beim Klauen erwischten. Wenn man obdachlos oder drogensüchtig ist, sucht man ständig nach Möglichkeiten, an Geld zu kommen. Ich hatte mich auf das Stehlen von Fleisch spezialisiert.

Als ich das erste Mal erwischt wurde, hatte ich Fleisch im Wert von hundertzwanzig Pfund in der Tasche, gestohlen bei *Marks & Spencer*. Sie brummten mir eine Geldstrafe von achtzig Pfund auf. Dabei hatte ich noch Glück gehabt, weil es mein erstes Vergehen war.

Erwischt zu werden ist schrecklich. Man windet sich und erzählt Lügengeschichten, aber die glaubt sowieso keiner. Wenn man ganz unten ist, kommt man aus dem Teufelskreis nicht mehr heraus.

Und jetzt steckte ich wieder in Schwierigkeiten, aber diesmal war ich wirklich unschuldig. Mir war einfach nur noch schlecht.

Zuerst ließen sie mich eine halbe Stunde in einer Arrestzelle schmoren. Dann öffnete sich die Tür und ein Beamter in weißem Hemd holte mich ab. Er brachte mich in einen kahlen Raum, in dem nur ein Tisch und ein paar Plastikstühle standen. Mit einer Kopfbewegung wies er mich an, Platz zu nehmen.

Gleich darauf kamen zwei Beamte, die sich mir gegenübersetzten.

»Wo waren Sie gestern Abend gegen 18:30 Uhr?«, begann einer der beiden ohne Umschweife mit dem Verhör.

»Bei der Arbeit, Gitarre spielen in Covent Garden«, antwortete ich wahrheitsgemäß.

»Haben Sie an diesem Abend den dortigen U-Bahnhof betreten?«

»Nein, ich gehe nie dort hinunter«, erwiderte ich. »Ich nehme immer den Bus.«

»Wir haben zwei Zeugen, die gesehen haben, wie Sie mit dem Aufzug aus der U-Bahn hochkamen und versuchten, über das Drehkreuz zu springen, weil Sie kein Ticket hatten.«

»Also, wie schon gesagt, ich war das nicht.«

»Als man versucht hat, Sie aufzuhalten, haben Sie eine der Mitarbeiterinnen beschimpft«, fuhr der Beamte unbeirrt fort.

Ich saß da und schüttelte nur noch den Kopf. Das konnte doch alles nicht wahr sein.

»Man hat Sie zum Schalter geführt und gebeten, einen Fahrschein zu kaufen«, las der Beamte aus seinen Papieren vor. »Sie haben sich nur widerwillig gefügt und dann das Schalterfenster bespuckt.«

»Ich habe Ihnen schon gesagt, dass ich gestern Abend nicht dort war«, beharrte ich auf der Wahrheit. »Ich gehe nie in die U-Bahn-Station, und ich fahre niemals mit der U-Bahn. Meine Katze und ich fahren nur mit dem Bus.«

Die beiden durchbohrten mich mit ihren Blicken, als würde ich ihnen nur Lügen auftischen.

Inzwischen fragte ich mich, wer mich da fertig machen wollte. Wenn diese Geschichte vor Gericht ging, hatte ich schlechte Karten. Dann stand mein Wort gegen das von drei oder vier angesehenen Mitarbeitern der Londoner U-Bahn-Gesellschaft.

Was sollte dann aus Bob werden? Wer sollte sich um ihn kümmern? Würde er dann wieder auf der Straße landen? Konnte er dort immer noch überleben? Ich drehte fast durch bei dem Gedanken, meinen kleinen Freund allein lassen zu müssen!

Sie hielten mich weitere zwei bis drei Stunden fest, und ich verlor jegliches Zeitgefühl.

Irgendwann kam eine Polizistin, die von mir eine Speichelprobe für einen DNA-Test wollte.

»Bleiben Sie sitzen, ich nehme mit dem Wattestäbchen nur etwas Spucke aus Ihrem Mund«, erklärte sie mir unnötigerweise.

Als sie mich endlich aus der Zelle holten, brachten sie mich zurück zum Empfangsbereich der Polizeiwache, wo ich meine Sachen wiederbekam und dafür unterschreiben musste.

»Sie müssen sich in zwei Tagen wieder hier melden«, teilte mir der Beamte hinter dem Tresen mit. »Dann wissen wir, ob die Sache vor Gericht geht oder nicht.«

Als ich nach Hause kam, sah Dylan fern und Bob lag zusammengerollt unter der Heizung.

Kaum hatte ich die Wohnungstür aufgeschlossen, sprang Bob auf und kam mir entgegen. Er neigte den Kopf zur Seite und sah zu mir hoch.

»Hallo, Kumpel, geht es dir gut?«, fragte ich und kniete mich hin, um ihn zu streicheln.

Er kletterte auf mein Bein und rieb sein Gesicht an meiner Wange.

Danach saßen Dylan und ich lange zusammen und versuchten zu verstehen, was da vorgefallen war.

»Nicht mal die können deine DNA-Probe so verändern, dass sie mit der an der Scheibe übereinstimmt«, versicherte mir Dylan.

Ich hätte ihm gerne geglaubt.

Die nächsten beiden Nächte konnte ich kaum schlafen. Sie hatten mich für die Mittagszeit auf die Wache bestellt, aber ich verließ das Haus schon früh, weil ich auf keinen Fall zu spät kommen wollte. Bloß nicht negativ auffallen war mein Motto. Bob ließ ich zu Hause, nur für den Fall, dass sie mich wieder stundenlang festhielten.

»Keine Sorge, Bob. Ich bin bald wieder da!«, versicherte ich ihm, als ich ging. Wenn ich mir nur genauso sicher gewesen wäre wie ich klang.

Auf dem Polizeirevier dauerte es wieder eine Weile, bis jemand Zeit für mich fand. Ich lief nervös auf und ab, denn ich konnte mich auf nichts anderes konzentrieren als den bevorstehenden Termin. Endlich brachte mich ein Beamter in einen Raum, wo bereits zwei andere Männer auf mich warteten.

»Die gute Nachricht ist, dass wir Sie nicht wegen Nötigung anklagen werden …«, sagte einer der beiden Polizisten.

»Meine DNA stimmte nicht mit der an der Scheibe überein, nicht wahr?«, fiel ich ihm ins Wort.

Er sah mich nur an und zwang sich zu einem gequälten Lächeln. Da dämmerte mir langsam, dass – wenn dies die gute Nachricht war – es scheinbar auch eine schlechte gab.

»Wir werden Sie allerdings wegen Belästigung anklagen, Sie waren ohne Genehmigung als Straßenmusiker unterwegs. In einer Woche ist der Gerichtstermin«, fuhr der Beamte mit versteinerter Miene fort.

Als ich wieder auf der Straße stand, war ich trotzdem total erleichtert und atmete erst einmal tief durch. Die Anklage »Illegale Straßenkunst« war nicht halb so schlimm wie »Nötigung«. Wahrscheinlich kam ich mit einer kleinen Geldstrafe und einer Verwarnung davon. Für Nötigung wäre ich wohl ins Gefängnis gewandert.

Ein Teil von mir hätte am liebsten gegen diese Ungerechtigkeit gekämpft, so wütend war ich. Aber meine Erleichterung überwog, und ich hatte das Gefühl, dass sich etwas in mir verändert hatte, ich wusste nur noch nicht genau, was es war.

Am nächsten Tag ging ich zum Bürgerberatungszentrum und holte mir ein paar Tipps für meine Gerichtsverhandlung. Es war ganz einfach. Ich musste mich nur schuldig bekennen, als Straßenmusiker ohne Lizenz aufgetreten zu sein – und hoffen, dass der Richter keinen persönlichen Groll gegen uns Straßenmusiker hegte.

Am Tag der Verhandlung zog ich ein frisches Hemd an, rasierte mich und fuhr zum Gericht.

»James Bowen. Das Gericht ruft James Bowen auf«, hörte ich eine blecherne Lautsprecherstimme. Ich holte tief Luft und ging hinein.

Der Richter beäugte mich, als wäre ich ein Stück Dreck, das seinen Gerichtssaal beschmutzte. Aber er konnte mir nicht viel anhaben, weil ich zum ersten Mal als Straßenmusiker ohne Geneh-migung erwischt worden war.

»Aber beim nächsten Mal erwartet Sie eine Geldstrafe oder Schlimmeres«, warnte mich der Richter zum Abschluss.

Als ich wieder auf die Straße trat, erwarteten mich Belle und Bob vor dem Gerichtsgebäude. Bob sprang sofort von Belles Schoß, als er mich sah. Er freute sich, mich wiederzusehen.

»Und? Wie ist es gelaufen?«, drängte Belle.

»Wenn sie mich noch mal erwischen, bin ich dran«, erwiderte ich.

»Was willst du jetzt tun?«, fragte sie.

Ich sah Belle an und dann hinunter zu Bob.

»Ich weiß es nicht, Belle«, antwortete ich nachdenklich. »Aber eines weiß ich genau: Ich werde die Straßenmusik an den Nagel hängen.«

Kapitel 18
Nummer 683

In den nächsten Tagen zerbrach ich mir den Kopf, wie es weitergehen sollte. Ich war immer noch wütend über die unfaire Anschuldigung, die mir so viel Ärger eingebracht hatte. Das Gute daran war, dass mich dieser Vorfall aus meinem Trott herausgeholt hatte. Schließlich wollte ich nicht für den Rest meines Lebens Straßenmusiker bleiben.

Aber wie sollte ich in Zukunft Geld verdienen? Ich hatte keine Ausbildung. Ich kam zwar ganz gut mit Computern klar, aber ich hatte in den letzten zehn Jahren für kein noch so kleines IT-Unternehmen gearbeitet. Soll heißen, ich hatte null Berufserfahrung vorzuweisen und somit nicht die geringste Chance auf einen normalen Job, was auch immer das war.

Aber ich brauchte Geld, um Bob und mich durchzubringen. Zwei Tage nach dem Gerichtstermin hatte ich eine Entscheidung getroffen. Ich fuhr mit Bob nach Covent Garden – zum ersten Mal seit Jahren ohne meine Gitarre. Auf der Piazza, dem großen Platz in Covent Garden, machte ich mich auf die Suche nach einer Frau namens Sam. Sie war die Gebietsleiterin für den Vertrieb der Obdachlosenzeitung *The Big Issue*.

Vor vielen Jahren, als ich gerade auf der Straße gelandet war, habe ich schon einmal versucht, diese Zeitschrift zu verkaufen. Aber damals hatte ich nicht lange durchgehalten.

Ich konnte mich noch gut daran erinnern, wie schwierig es war. Ich saß bei Wind und Wetter an zugigen Straßenecken, die man mir als Standort zugeteilt hatte, und versuchte, meine Zeitschriften zu verkaufen. Es war so entwürdigend.

»Such dir einen Job«, blafften mich die vorbeihastenden Passanten an.

Dabei ist das Verkaufen von Zeitungen doch Arbeit. Man ist selbstständiger Unternehmer. Viele Leute glauben, der Verlag schenkt den Verkäufern die Zeitungen, aber das stimmt nicht. Ich musste meine Exemplare kaufen, um sie dann weiterverkaufen zu können. Wie jeder Selbstständige muss man erst Geld ausgeben, um Geld zu verdienen. Das gilt für die *Big-Issue*-Verkäufer genauso wie für jeden anderen Geschäftsmann.

Ich hätte nie gedacht, dass ich mir das noch einmal antun würde. Aber ich hatte nun mal die Verantwortung für Bob.

»Hallo, ihr zwei«, begrüßte uns Sam, als sie uns erkannte. »Macht ihr heute keine Musik?«

»Leider hatte ich etwas Ärger mit der Polizei«, antwortete ich.

»Ich kann es nicht riskieren, dass sie mich wieder festnehmen, schließlich muss ich mich um Bob kümmern, nicht wahr, Kumpel? Deshalb bin ich hier. Ich wollte mal fragen, ob ich nicht die *Big Issue* verkaufen könnte.«

Sam lächelte. »Erfüllst du denn die Bedingungen?«

Nur Bedürftige, also Menschen, die obdachlos sind oder in Sozialwohnungen leben, durften *The Big Issue* verkaufen.

Ich nickte.

»Unser Verwaltungsgebäude liegt in Vauxhall«, erklärte mir Sam. »Dort musst du hin, um dich anzumelden. Sobald du deinen Ausweis hast, kommst du wieder zu mir. Und dann können wir loslegen.«

Auf dem Heimweg im Bus erklärte ich meinem aufmerksam lauschenden Rotpelzchen: »Jetzt müssen wir einiges erledigen, Bob. Wir haben ein Bewerbungsgespräch.«

Von meinem Sozialarbeiter holte ich mir eine Bescheinigung, die meine Wohnsituation bestätigte. Er schrieb auch noch eine Empfehlung, dass mir der Verkauf der *Big Issue* helfen könnte, meine Lebenssituation zu verbessern. Dann zog ich mir meine besten Klamotten an, band meine langen Haare zusammen und machte mich auf den Weg nach Vauxhall.

Bob nahm ich mit. Wir beide waren ein Team, deshalb wollte ich für ihn auch einen Verkäuferausweis beantragen.

Als ich die Eingangshalle betrat, fiel mir gleich ein großes Schild auf: »Hunde müssen draußen bleiben.« Aber davon fühlten wir uns nicht angesprochen, denn da stand ja nichts von Katzen.

Der Mitarbeiter, der mit mir das Einstellungsgespräch führte, war früher selbst obdachlos gewesen.

»Ich weiß, was da draußen abgeht, James, glaub mir«, sagte er. »Na los, lass dich für den Ausweis fotografieren.«

Die Frau, die für die Ausgabe der Verkäuferausweise zuständig war, saß im Nachbarbüro.

»Kann mein Kater auch einen Ausweis haben?«, fragte ich sie.

»Leider nein. Haustiere bekommen bei uns keinen eigenen Ausweis.«

Aber so schnell gab ich nicht auf: »Kann er dann wenigstens mit mir zusammen auf das Foto?«

Sie verdrehte zwar die Augen, ließ sich aber erweichen. »Na gut! Macht schon, ihr zwei.«

»Lächeln, Bob«, sagte ich, als wir vor der Kamera saßen.

Danach warteten wir weitere fünfzehn Minuten im Empfangsbereich darauf, dass unser Ausweis laminiert wurde.

Als ich ihn endlich entgegennahm, brachte mich unser Foto zum Lachen. Bob saß auf meiner Schulter und guckte sehr intelligent in die Kamera. Jetzt waren wir ganz offiziell ein Team mit der *Big-Issue*-Verkäufernummer 683.

Auf der langen Fahrt zurück nach Tottenham las ich mir die Richtlinien für *Big-Issue*-Verkäufer in der Broschüre durch, die ich zusammen mit dem Ausweis bekommen hatte. Diesmal wollte ich alles richtig machen und diese Chance besser nutzen als beim letzten Mal. Gleich auf der ersten Seite ging es um das Ziel des Zeitschriftenprojektes:

»*The Big Issue* wurde gegründet, um Obdachlosen und Menschen in sozialen Wohnprojekten die Möglichkeit zu geben, mit dem Verkauf des Magazins auf legale Weise ihr Geld zu verdienen. Wir glauben an die Hilfe zur Selbsthilfe statt der Vergabe von Almosen, um ihnen die Möglichkeit zu geben, ihr Leben selbst in die Hand zu nehmen.«

Genau das brauche ich: Hilfe zur Selbsthilfe, dachte ich und las weiter.

»Als Einstiegshilfe erhält jeder neue Verkäufer zehn Freiexemplare. Sobald er diese verkauft hat, kann er weitere Zeitschriften für ein Pfund kaufen und für zwei Pfund weiterverkaufen. Somit liegt der Verdienst bei einem Pfund pro Magazin.

Jeder Verkäufer ist selbst für seine Finanzen und Verkäufe verantwortlich. Diese Aufgabe, eine eigenverantwortliche Tätigkeit, die das Selbstbewusstsein stärkt und die eigene Wertschätzung steigert, ist von entscheidender Bedeutung für die Wiedereingliederung von Obdachlosen und Sozialhilfeempfängern in die Gesellschaft.«

Dann stand da noch, dass ich zuerst an einem Probe-Verkaufsplatz arbeiten musste. Erst wenn ich mich dort bewährte, bekäme

ich einen eigenen Stammplatz zugewiesen. Sobald ich meine Frei-
magazine verkauft hatte, war ich als selbstständiger Unternehmer
auf mich allein gestellt.

»Und? Ist alles gut gelaufen in Vauxhall?«, fragte Sam, als ich am
nächsten Morgen bei ihr in Covent Garden auftauchte.

»Ich denke schon. Immerhin habe ich jetzt den hier«, sagte ich
breit grinsend und hielt ihr stolz meinen neuen Verkäuferausweis
unter die Nase.

Sie lächelte, als sie das Foto von Bob und mir sah. »Na, dann
wollen wir mal Starthilfe leisten«, kam Sam gleich zur Sache.

Sie zählte mir die zehn kostenlosen Magazine ab.

»So, hier sind sie. Aber die nächsten musst du kaufen, das weißt
du, oder?«

»Jawohl, alles durchgelesen«, versicherte ich ihr.

Was sie dann sagte, haute mich fast um: »Dein vorläufiger Verkaufsplatz ist gleich da drüben«, dabei zeigte sie mit dem Finger auf
die U-Bahn-Station Covent Garden.

Ich musste lachen und Sam sah mich verwirrt an. »Ist das etwa
ein Problem? Ich kann dir auch einen anderen Platz zuweisen.«

»Nein, nein, bloß nicht«, wehrte ich ab. »Bei mir kommen nur
gerade alte Erinnerungen hoch.«

Ich fing sofort an mit meinem neuen Job. An diesem späten
Vormittag waren bereits viele Leute unterwegs. Außerdem war es
ein heller, sonniger Tag, da waren die Menschen erfahrungsgemäß
besser gelaunt und viel spendierfreudiger als bei schlechtem Wetter.

The Big Issue zu verkaufen war etwas ganz anderes als die Arbeit
als Straßenmusiker. Ich hatte eine offizielle Genehmigung für mei-

nen Arbeitsplatz. Deshalb konnte ich es mir auch nicht verkneifen, mich so nah wie möglich an den Eingang des U-Bahnhofs zu stellen. Gerade noch außerhalb der Bahnhofshalle fing ich an, meine zehn Magazine anzupreisen.

Jetzt können mich die Bahnhofsmitarbeiter nicht mehr vertreiben, dachte ich erfreut. *Auch wenn sie es noch so gerne tun würden.*

Mir war klar, dass ich diesen Standort für meine Probezeit bekommen hatte, weil er der Albtraum jedes Zeitungsverkäufers war. Rund um den Bahnhof ist jeder in Eile. Die Leute wollen die nächste Bahn erwischen oder haben Termine und Verabredungen, zu denen sie nicht zu spät kommen wollen. Ein normaler *Big-Issue*-Verkäufer konnte sich glücklich schätzen, wenn er es schaffte, einen von tausend Passanten herauszuziehen, um ihm eine Zeitschrift zu verkaufen. Das hatte ich als Straßenmusiker oft genug beobachtet.

Aber ich war kein normaler *Big-Issue*-Verkäufer. Ich hatte eine Geheimwaffe: Eine, die Covent Garden bereits verzaubert hatte. Und es dauerte nicht lange, bis diese Magie wieder Wirkung zeigte.

Ich setzte Bob neben mich auf meinen Rucksack. Er saß da wie eine kleine Sphinx und ließ mit unerschütterlicher Ruhe die Welt an sich vorüberziehen. Viele Leute waren so in Eile, dass sie ihn übersahen, aber zum Glück nicht alle.

Schon nach ein paar Minuten blieben zwei junge amerikanische Touristinnen stehen und zeigten auf Bob.

»Ooooh, wie süß«, sagte die eine und griff zu ihrem Fotoapparat.

»Dürfen wir Ihre Katze fotografieren?«, fragte die andere.

»Aber klar, warum nicht?« Ich freute mich, dass sie so höflich fragten.

»Möchten Sie vielleicht eine *Big Issue* kaufen? Sie würden Bob und mir damit helfen, unser Abendessen zu verdienen.«

»Aber natürlich«, versicherte mir das zweite Mädchen und sah dabei aus, als würde sie sich schämen, dass sie nicht gleich daran gedacht hatte.

»Wenn Sie knapp bei Kasse sind, ist es auch nicht schlimm«, erklärte ich ihr. »Es ist keine Verpflichtung.«

Aber bevor ich weiterreden konnte, hatte sie mir schon einen Fünfer in die Hand gedrückt.

»Behalten Sie das Wechselgeld und kaufen Sie Ihrer Katze etwas Leckeres zu fressen«, sagte sie und lächelte mich an.

Nach einer Stunde hatte ich bereits sechs Magazine verkauft.

Die meisten Leute zahlten den korrekten Preis, aber ein älterer Herr in einem eleganten Anzug gab mir auch fünf Pfund. Da wusste ich, dass ich die richtige Entscheidung getroffen hatte. Es würde weiterhin Höhen und Tiefen geben, aber es fühlte sich an wie ein großer Schritt in ein besseres Leben.

Nach etwa zwei Stunden erlebte ich das Highlight des Tages. Endlich hatte uns der große, schwitzende Fahrkartenkontrolleur, der mir so viel Ärger eingebrockt hatte, erspäht. Sofort stürmte er mit hochrotem Gesicht auf uns zu.

»Was machen Sie denn schon wieder hier?«, brüllte er mich an. »Ich dachte, man hätte Sie eingelocht. Sie wissen genau, dass Sie hier unerwünscht sind.«

Betont langsam und umständlich kramte ich meinen *Big-Issue*-Ausweis hervor und hielt ihn ihm unter die Nase.

Dabei sagte ich mit übertrieben sanfter Stimme: »Ich mache hier nur meine Arbeit, Kollege – und ich schlage vor, Sie kümmern sich um Ihre.« Sein fassungsloser Gesichtsausdruck war für mich die Krönung dieses perfekten Tages.

Kapitel 19
Der perfekte Standort

Der neue Job veränderte unseren bisher lockeren Tagesablauf, denn ab sofort hatten wir einen festen Zeitplan einzuhalten.

In den ersten beiden Wochen arbeiteten Bob und ich von Montag bis Samstag in Covent Garden. Wir blieben so lange, bis wir unseren Stapel Zeitschriften verkauft hatten. Montags kam immer die neue Ausgabe heraus.

Durch Bob hatte ich gelernt, Verantwortung zu übernehmen. Aber für *The Big Issue* zu arbeiten, war noch mal eine ganz andere Sache. Ab dem ersten Tag musste ich mein Mini-Unternehmen genauso führen wie jeder andere Geschäftsmann auch. Ich war selbst überrascht, wie gut ich mit der neuen Herausforderung klarkam.

In dem Geschäftskonzept der *Big Issue* gibt es kein »Verkaufen oder Zurückgeben«. Das bedeutet, wenn man zu viele Zeitschriften ankauft, kann man ziemlich viel Geld verlieren.

Wer will schon am Samstagabend auf fünfzig Zeitungen sitzen bleiben, weil am Montag eine neue Ausgabe erscheint? Aber wenn man zu wenige Exemplare vorrätig hat, verliert man auch Geld, weil man kaufwillige Kunden nicht mehr bedienen kann.

Es dauerte nicht lange, bis ich das richtige Maß gefunden hatte.

Bob und ich verdienten zwar weniger Geld als mit der Straßenmusik, aber die neu gewonnene Sicherheit war es mir wert. Schließlich hatte ich eine Genehmigung für diesen Job. Wenn mich ein Polizist aufhielt, konnte ich meinen Ausweis vorzeigen und hatte meine Ruhe. Das bedeutete mir sehr viel nach meiner letzten Erfahrung mit der Polizei.

Die nächsten beiden Wochen vergingen wie im Flug.

Im Herbst 2008 hatten wir eine Begegnung mit einem extrem lässig und auffällig gekleideten jungen Mann. Er sah aus wie ein amerikanischer Rockstar.

»Was für eine coole Katze!«, sagte er mit amerikanischem Slang, der meine Vermutung bestätigte.

Ein paar Minuten hockte er vor Bob und streichelte ihn. »Seid ihr zwei schon lange zusammen?«, wollte er dann wissen.

»Fast eineinhalb Jahre«, gab ich Auskunft.

»Ihr seid wohl Seelenverwandte«, sagte er lächelnd. »Sieht aus, als würdet ihr wirklich zusammengehören.« Er seufzte: »Aber ich muss leider weiter. Bis bald mal.«

Er holte ein Bündel Geldscheine aus seiner Jackentasche und zahlte mit einem Zehner.

»Behalte das Wechselgeld«, grinste er. »Ich wünsche euch beiden noch einen schönen Tag.«

»Danke, den werden wir haben«, versprach ich ihm. Und so war es auch.

Aber auch als *Big-Issue*-Verkäufer war das Leben auf der Straße kein Zuckerschlecken. Wer denkt, dass auf der Straße alle zusammenhalten, täuscht sich sehr. Füreinander da sein war in diesem

Haufen von Einzelkämpfern ein Fremdwort. Jeder war nur auf seinen eigenen Vorteil bedacht. Am Anfang reagierten die anderen *Big-Issue*-Kollegen noch sehr freundlich auf den Neuen mit der Katze auf der Schulter.

Verkäufer mit Hunden hatte es schon immer gegeben. Aber soviel ich wusste, war ich der Einzige mit Katze in Covent Garden – oder sogar in ganz London.

Einige Kollegen waren richtig angetan von Bob.

»Wo hast du ihn gefunden?«, wollten sie wissen. Oder: »Wo kommt er her?«

Leider konnte ich diese Frage immer noch nicht beantworten. Bob war ein mysteriöser Kater mit unbekannter Vergangenheit, was ihn jedoch nur noch interessanter machte.

Es stellte sich heraus, dass ich mit Bob an meiner Seite an einem guten Tag zwischen dreißig und fünfzig Zeitschriften verkaufen konnte. Bei zwei Pfund pro Exemplar war das ein guter Umsatz, besonders wenn man noch das Trinkgeld dazuzählte, das mir die Leute gaben – oder, um genauer zu sein, das sie Bob gaben.

An einem späten Nachmittag im Herbst saß Bob auf meinem Rucksack und genoss die letzten Sonnenstrahlen, als ein elegant gekleidetes Paar auf seinem Weg ins Theater oder in die Oper an uns vorüberkam. Er trug einen Smoking mit Fliege und sie ein schwarzes Seidenkleid.

Sie blieben stehen und waren völlig aus dem Häuschen wegen Bob.

»Sie sehen beide sehr gut aus«, machte ich mich bemerkbar.

»Der ist ja entzückend«, rief mir die Dame zu. »Sind Sie beide schon lange zusammen?«

»Ja, schon eine ganze Weile«, gab ich zurück. »Wir haben uns sozusagen auf der Straße gefunden.«

Der Mann zückte seine Brieftasche und holte einen Zwanziger hervor.

»Hier – und behalten Sie den Rest«, sagte er und lächelte dabei seine Begleiterin an.

Ihr Blick sprach Bände. Ich hatte das Gefühl, dass die beiden gerade ihr erstes Date hatten.

Als sie weitergingen, konnte ich sehen, wie sie sich an ihn lehnte und seinen Arm nahm.

Für mich war es das erste Mal, dass mir jemand zwanzig Pfund geschenkt hatte.

Dieser Standort an der Covent Garden U-Bahn-Station war für Bob und mich alles andere als ein Albtraum, er war geradezu ideal. Aber es dauerte nicht lange, bis die anderen Verkäufer anfingen zu munkeln, wie erfolgreich wir waren. Sie wurden eifersüchtig. Schon in der zweiten Woche spürte ich, dass uns die Kollegen immer abweisender begegneten und aus den freundlichen Smalltalks abweisendes Schweigen wurde.

»Es wird Zeit, euch einen festen Stammplatz zuzuteilen«, sagte Sam, nachdem die zweiwöchige Probezeit vorbei war.

»Neal Street, Ecke Shorts Gardens, gar nicht weit von hier.«

Ich war nicht überrascht, aber ziemlich enttäuscht, dass man uns den Platz wegnahm, an dem wir so erfolgreich waren. Aber ich hielt mein loses Mundwerk und akzeptierte ihre Entscheidung.

»Wähle deine Kämpfe mit Bedacht, James«, sagte ich mir.

Kapitel 20
Angeschlagen

Es war ein kalter und nasser Herbst in diesem Jahr. Regen und Wind hatten den Bäumen im Handumdrehen alle Blätter entrissen.

Eines Morgens machten wir uns im Nieselregen auf den Weg zur Bushaltestelle. Bob hasste Regen, aber an diesem Tag trottete er besonders lustlos und langsam neben mir her.

Vielleicht bereut er schon, heute mitgekommen zu sein, dachte ich zuerst noch.

Eine gigantische, stahlgraue Wolkenbank hatte sich aufgebaut und hing wie ein überdimensionales Raumschiff aus einer unbekannten Galaxie über uns und ganz Nordlondon. Es war nur noch eine Frage der Zeit, bis sie sich als starker Regenguss über uns entleeren würde. Am liebsten wäre ich umgedreht, aber das Wochenende stand vor der Tür, und ich hatte noch nicht genug verdient, um dafür einzukaufen.

Da müssen wir jetzt durch, redete ich mir selbst gut zu. Bob trottete im Schneckentempo hinter mir her. Wir brauchten ewig für ein paar hundert Meter.

»Na komm schon, Kumpel. Ab auf meine Schulter!«

Er schmiegte sich an meinen Nacken, und ich marschierte weiter Richtung Bus.

Wie schon befürchtet, begann es heftig zu regnen, noch bevor wir die Haltestelle erreicht hatten. Ich platschte durch Pfützen und versuchte, jede Möglichkeit einer Überdachung wahrzunehmen. Erst im Bus fiel mir auf, dass hinter Bobs Lustlosigkeit mehr stecken musste als nur der von ihm so verhasste Regen.

Bob liebte Bus fahren und egal wie oft wir einen Bus bestiegen, er presste sich jedes Mal begeistert das Näschen an der Fensterscheibe platt. Aber heute bestand er nicht einmal auf seinem Fensterplatz. Stattdessen rollte er sich auf meinem Schoß zusammen. Das war sehr ungewöhnlich. Er wirkte so müde und teilnahmslos. Er ließ sich richtiggehend hängen und seinen halbgeschlossenen Augen fehlte die sonst übliche Neugier. Das war nicht der aufgeweckte Kater, den ich kannte.

Als wir an der Tottenham Court Road ausstiegen, ging es Bob zusehends schlechter. Auf der Neal Street wurde er unruhig auf meiner Schulter. Er gab seltsame Geräusche von sich, und ich spürte, wie er von Zuckungen geschüttelt wurde.

»Geht es dir gut, Bob?«, fragte ich besorgt und wurde langsamer.

Auf einmal verkrampfte sich sein ganzer Körper, und er gab erbärmliche Würgegeräusche von sich. Es hörte sich an, als würde er jeden Moment ersticken oder versuchen, sich zu übergeben. Ich befürchtete, dass er gleich von meiner Schulter springen oder fallen würde, also setzte ich ihn auf dem Gehweg ab, um nachzusehen, was mit ihm los war.

Noch bevor ich mich vor ihn hinknien konnte, erbrach er sich. Zum Vorschein kamen keine Essensreste, sondern nur schaumiger Schleim. Aber das war noch nicht alles. Sein Körper krampfte, er würgte und kämpfte, um loszuwerden, was die Übelkeit verursachte. Zuerst fragte ich mich, ob ich vielleicht zu schnell gelaufen war und er auf meiner Schulter zu sehr durchgeschüttelt worden war.

Aber dann übergab er sich wieder, diesmal würgte er nur noch gelblich-grüne Gallenflüssigkeit heraus. Ich stand hilflos daneben. Hatte er »nur« etwas Schlechtes gefressen oder war es etwas Schlimmeres? Würde er etwa gleich vor meinen Augen zusammenbrechen? Das Bild eines sterbenden Bob blitzte kurz vor meinem inneren Auge auf. Ich riss mich zusammen, bevor meine Fantasie mit mir durchgehen konnte, und befahl mir: *Los, James, bleib ruhig und tu endlich was!*

Durch wiederholtes Erbrechen bestand die Gefahr, dass Bob austrocknete. Wenn ich nichts unternahm, könnte eines seiner inneren Organe geschädigt werden. Ich hob ihn hoch und trug ihn weiter nach Covent Garden bis zu einem Lebensmittelgeschäft, das ich in der Nähe kannte.

Ich hatte nur etwas Kleingeld dabei, aber ich fand genug Münzen in meinen Hosentaschen, um ihm sein Lieblingsfutter und eine Flasche stilles Wasser zu kaufen. In seinem Zustand wollte ich ihm kein Leitungswasser zumuten. Das könnte alles noch schlimmer machen.

Dann trug ich Bob bis zu unserem Verkaufsplatz. Dort setzte ich ihn auf dem Gehweg ab, holte seine Schüssel aus dem Rucksack und füllte sie mit seinem Hühnchenmenü.

»Hier, Kumpel«, sagte ich und streichelte ihn, während ich ihm die Schüssel hinschob.

Normalerweise wäre Bob überglücklich aufgesprungen und hätte alles gierig verschlungen. Aber nicht an diesem Tag. Bei mir schellten alle Alarmglocken. Das war gar nicht gut. Scheinbar war er wirklich krank.

Trotzdem begann ich schweren Herzens, meine Zeitschriften zu verkaufen. Wir brauchten dringend Geld für die nächsten Tage, besonders wenn ich Bob zum Tierarzt bringen wollte. Aber ich war überhaupt nicht bei der Sache. Ich war viel zu sehr damit beschäftigt, Bob zu beobachten, als mich auf meine Arbeit zu konzentrieren.

Nach weniger als zwei Stunden gab ich auf. Bob ging es wirklich schlecht. Er gehörte nach Hause in unsere warme und trockene Wohnung.

Bisher hatte ich wirklich Glück gehabt mit Bob. Seit er bei mir lebte, war er immer kerngesund gewesen. Anfangs musste ich ihn hochpäppeln, aber das war bei einem Streuner nicht anders zu erwarten. Deshalb drehte ich an diesem Tag fast durch vor Sorge um mein Rotpelzchen. Wenn es nun etwas wirklich Schlimmes war?

Auf dem Heimweg im Bus nach Tottenham lag Bob wieder teilnahmslos auf meinem Schoß. Ich spürte, wie die Angst in mir hochkroch. Ich kämpfte gegen die Tränen. Bob war das Wichtigste in meinem Leben. Der Gedanke, ihn zu verlieren, war mir unerträglich. Trotzdem hatte sich dieses Szenario schon in meinem Kopf festgefressen und ließ mich nicht mehr los.

Zu Hause angelangt, verzog sich Bob sofort an seinen Lieblingsplatz unter der Heizung und schlief ein. Für den Rest des Tages bewegte er sich nicht mehr. Er war so weggetreten, dass er mir nicht einmal ins Schlafzimmer folgte, als ich zu Bett ging.

In dieser Nacht konnte ich kaum schlafen vor lauter Angst um Bob. Immer wieder stand ich auf, um nach ihm zu sehen. Einmal kam es mir vor, als würde er nicht mehr atmen. Ich musste meine Hand auf seinen Bauch legen, um mich zu vergewissern, dass er noch lebte. Er fing leise an zu schnurren und mir fiel ein ganzer Felsbrocken vom Herzen.

Ich war so pleite, dass ich am nächsten Tag unbedingt wieder arbeiten musste. Sollte ich Bob allein in der Wohnung lassen? Oder sollte ich ihn in eine warme Decke wickeln und mitnehmen? Dann könnte ich ihn bei der Arbeit wenigstens im Auge behalten.

Ich wusste nicht mehr weiter.

Kapitel 21
Auf dem Weg der Besserung

Am nächsten Morgen war das Wetter viel besser. Sogar die Sonne lugte zwischen den Wolken hervor, und auch Bob sah wieder etwas munterer aus.

»Willst du etwas fressen, Kumpel?«, fragte ich ihn unsicher.

Ich setzte ihm eine kleine Portion vor, und er schleckte immerhin die Soße auf und aß ein paar Fleischstückchen.

Ich war immer noch ratlos wegen seines Zustandes. Also fuhr ich zur Bücherei, um in einem der öffentlichen Computer Bobs Symptome zu recherchieren.

Ich hatte ganz vergessen, dass es nicht wirklich klug ist, medizinische Webseiten zu durchforsten. Nichts als Horrorszenarien! Als ich die Stichworte für Bobs Symptome eintippte – Müdigkeit, Erbrechen, Appetitlosigkeit und noch einiges mehr –, spuckte die Suchmaschine eine unendlich lange Liste an Krankheiten aus. Nach einer Viertelstunde Querlesen war ich mit den Nerven am Ende.

Dann versuchte ich es mit »Hausmittel gegen Erbrechen«. Gleich mehrere Seiten empfahlen: viel Wasser trinken, Ruhe und Beobachtung. Genau das war dann auch mein Plan. Ich würde ihn rund um die Uhr im Auge behalten. Sollte er sich jedoch noch einmal so qualvoll übergeben, würde ich ihn sofort zum Tierarzt bringen. Ansonsten wollte ich bis Donnerstag warten und mit Bob zur Tierambulanz des Blue Cross gehen.

Ich blieb bis spät nachmittags zu Hause, damit Bob sich ausruhen konnte. Tatsächlich schlief er den ganzen Tag, zusammengerollt auf seinem Lieblingsplatz. Sein Schlaf war nicht unruhig und er atmete normal, es wirkte auf mich wie ein Genesungsschlaf. Daher wagte ich es, ihn drei bis vier Stunden allein zu lassen, um ein paar Zeitschriften zu verkaufen. Natürlich wäre ich lieber bei ihm geblieben, aber ich hatte keine andere Wahl.

In Covent Garden wurde Bob schmerzlich vermisst. Viele Leute fragten nach ihm:

»Wo ist Bob?«

»Er ist krank«, erklärte ich jedem, der es wissen wollte.

»Wird er bald wieder da sein?«

»Ist es was Ernstes?«

»Waren Sie schon beim Tierarzt mit ihm?«

»Sollten Sie nicht besser bei ihm sein?«

All diese Fragen verunsicherten mich noch mehr. Bis mir endlich einfiel, dass ich doch eine Tierarzthelferin kannte: Rosemarie! Sie war die Freundin von Steve aus dem Comicbuchladen, vor dem wir auch manchmal Zeitschriften verkauften.

Ich lief sofort zu dem Laden hinüber und überfiel Steve, ohne mich mit höflichen Begrüßungsfloskeln aufzuhalten:

»Bob ist krank. Meinst du, ich könnte Rosemarie anrufen und sie um Rat fragen?«

»Rosemarie hat bestimmt nichts dagegen, vor allem nicht, wenn es um Bob geht. Du weißt doch, sie ist verrückt nach ihm.«

Gesagt, getan. Zum Glück erreichte ich sie gleich, und sie stellte mir viele Fragen:

»Was für Futter gibst du ihm? Frisst er manchmal Sachen, die er draußen findet?«

»Na ja, blöderweise findet er nichts spannender, als Müllsäcke zu durchwühlen.«

Leider hatte er diese schlechte Angewohnheit nie abgelegt. Man kann eine Katze von der Straße holen, aber die Überlebensstrategien eines Streuners kann man ihr nicht austreiben.

»Aha«, sagte Rosemarie, »das könnte eine Erklärung sein.«

Sie empfahl mir ein Medikament, das seinen Magen beruhigen würde.

»Gib mir deine Adresse, und ich lasse es dir von einem Fahrradkurier vorbeibringen«, schlug sie vor.

Damit hatte ich nicht gerechnet.

»Hm, also, es tut mir leid, aber das kann ich mir nicht leisten, Rosemarie«, stotterte ich verlegen.

»Aber nicht doch, das kostet dich gar nichts«, beruhigte sie mich. »Ich lege das einfach einer anderen Lieferung in deiner Nähe bei. Dann bist du heute Abend zu Hause, ja?«

»Ja, vielen Dank«, rief ich, bevor sie auflegte.

Ich war überwältigt. Diese Art von Hilfsbereitschaft war mir in den letzten Jahren auf der Straße so gut wie nie begegnet. Das war eine der größten Veränderungen, die Bob in meinem Leben bewirkt hatte. Dank ihm habe ich das Gute in den Menschen wiederentdeckt. Er hat mir gezeigt, dass man Fremden vertrauen und an sie glauben kann.

Rosemarie hielt Wort. Am Abend brachte ein Fahrradkurier Bobs Medizin, und ich verabreichte ihm sofort die erste Dosis.

Bob war nicht gerade begeistert. Als ich ihm die Flüssigkeit mit einem Löffel einflößte, verzog er angewidert sein Maul. Am liebsten hätte er das Zeug wohl wieder ausgespuckt.

»Tja, da hast du jetzt leider Pech gehabt, Kumpel«, zog ich ihn auf. »Wenn du dein Mäulchen nicht in jeden Müllsack stecken würdest, müsstest du jetzt keine bittere Medizin schlucken.«

Das Medikament wirkte schnell. In dieser Nacht schlief Bob viel ruhiger, und am nächsten Morgen war er schon wesentlich lebhafter als in den letzten beiden Tagen. Er war zumindest wieder fit genug, um sich gegen die morgendliche Ration seiner Medizin zu sträuben, sodass ich seinen Kopf festhalten musste.

Am Donnerstag ging es ihm noch besser. Aber zur Sicherheit brachte ich ihn trotzdem zur Tierambulanz.

»Dann wollen wir mal sehen«, sagte die Tierärztin.

Sie stellte ihn auf die Waage, sah sich seinen Rachenbereich an und tastete gründlich seinen Bauch ab.

»Das sieht alles sehr gut aus«, ließ sie mich wissen. »Das Schlimmste hat er überstanden, und er ist auf dem besten Weg, wieder gesund zu werden.« Dann wandte sie sich an mein Sorgenkind: »Aber Herumwühlen im Müll ist ab sofort strengstens verboten, hörst du, Bob?!«

Bobs Krankheit hatte mich sehr mitgenommen. Er war mein Fels in der Brandung, und ich hätte nie gedacht, dass er krank werden könnte. Die Erkenntnis, dass Bob sterben könnte, hat mich tief erschüttert.

Und sie hat mich dazu gebracht, endlich Nägel mit Köpfen zu machen. Ich hatte schon lange vor, endlich clean zu werden.

Mein Leben mit Methadon ging mir ziemlich auf die Nerven. Ich wollte endlich diese Angst loswerden, eines Tages die Kontrolle zu verlieren und rückfällig zu werden.

Also machte ich mich auf den Weg zur Drogenambulanz, um meinen behandelnden Arzt aufzusuchen.

Ohne Umschweife kam ich zur Sache: »Ich will das Methadon absetzen und endlich ohne diesen täglichen Druck leben.«

Ich habe dieses Thema schon oft angesprochen, aber der Methadon-Entzug verlangt viel Kraft und einen starken Willen. Bisher haben mir die Ärzte das noch nicht zugetraut und mich immer wieder vertröstet.

Aber an diesem Tag sah der Arzt, wie ernst ich es meinte.

»Das wird nicht leicht, James«, warnte er mich nochmals.

»Ja, ich weiß.«

»Du bekommst dann ein Medikament namens Subutex«, erklärte er mir. »Die Dosis wird langsam verringert, bis du gar nichts mehr brauchst.«

»Ich bin bereit«, versicherte ich dem Arzt entschlossen.

»Der Übergang ist der schwierigste Teil der Übung«, schärfte er mir ein. »Du wirst schlimme Entzugserscheinungen spüren.«

»Das ist mein Problem«, erklärte ich fast trotzig. »Ich will es unbedingt. Nicht nur für mich, sondern auch für Bob.«

Zum ersten Mal seit Jahren sah ich ein winziges Licht am Ende eines sehr schwarzen Tunnels.

Kapitel 22
Die Schwarze Liste

Irgendetwas war im Busch. Das spürte ich sofort, als ich an einem nasskalten Montagmorgen in Covent Garden am Vertriebsstand ankam.

Bob wurde sonst immer liebevoll von Sam begrüßt, aber nicht an diesem Morgen. Sie nahm mich zur Seite:

»James, ich muss mit dir reden«, sagte sie mit strengem Blick. »Ich hatte diverse Beschwerden von anderen Verkäufern. Sie sagen, du ›flanierst‹.«

»Flanieren« hieß, dass man beim Verkaufen der Zeitungen durch die Straßen lief. Das war strengstens verboten. Unsere Zeitschriften durften nur an den offiziellen Standorten verkauft werden und niemals auf dem Weg zur Arbeit oder nach Hause, geschweige denn auf einer Kneipentour. Anscheinend glaubten meine lieben Kollegen, ich würde meine Zeitungen auch unterwegs an den Mann bringen.

»Das stimmt nicht«, wehrte ich ab.

Dabei wusste ich genau, warum sie so dachten.

Überall in London wurden Bob und ich von Leuten aufgehalten, die meinen Begleiter streicheln oder uns fotografieren wollten. Der einzige Unterschied war, dass sie mich jetzt auch manchmal nach einer *Big Issue* fragten.

Es bedurfte auch keiner Detektivarbeit, um zu wissen, wer mich da angeschwärzt hatte.

Als wir vor Kurzem auf der Long Acre unterwegs waren, kamen wir an Geoffs Verkaufsplatz vorbei. Gleich danach wurden wir von einem amerikanischen Ehepaar aufgehalten.

»Entschuldigen Sie bitte, Sir«, sprach mich der Mann an. »Dürften wir wohl ein Foto von Ihnen und Ihrem hübschen Begleiter machen? Unsere Tochter liebt Katzen, und sie würde sich sehr über dieses Bild freuen.«

»Aber klar doch«, willigte ich grinsend ein. Mich hatte seit Jahren niemand »Sir« genannt – falls das überhaupt jemals vorgekommen war.

Inzwischen war ich so daran gewöhnt, mich mit Bob für Touristenfotos in Pose zu schmeißen, dass wir ein paar Standardposen ausgetüftelt hatten, die immer gut ankamen. Dazu setzte ich ihn beispielsweise auf meine rechte Schulter, sodass sein Kopf in die gleiche Richtung zeigte wie meiner. Genau das tat ich auch an diesem Morgen.

»Oh, wow, wir können Ihnen gar nicht genug danken!«, freute sich die Frau. »Unsere Tochter wird ausflippen, wenn sie die Fotos sieht. Können wir Ihnen dafür wenigstens eine Zeitung abkaufen?«

»Tut mir leid, leider nicht«, erklärte ich ihr und zeigte auf Geoff, der nur ein paar Meter weiter auf dem Boden saß. »Das ist sein Gebiet. Wenn Sie eine Zeitschrift möchten, müssen Sie zu ihm gehen.«

»Vielleicht ein anderes Mal«, sagte der Mann.

Sie verabschiedeten sich von mir, und die Frau gab mir die Hand. Dabei drückte sie mir einen Geldschein in die Handfläche.

»Bitte nehmen Sie das, und gönnen Sie sich und ihrem wunderschönen Kater etwas davon«, flüsterte sie mir verschwörerisch zu.

»Hallo?«, brüllte Geoff, als das Ehepaar weiterging, ohne ihn zu beachten. Wütend sprang er auf. »Was soll das? Wieso nimmst du von denen Geld an? Für wen hältst du dich? Wie kommst du dazu, den Leuten zu sagen, dass sie mich ignorieren sollen? Das hier ist mein Platz!«

Das hatte wirklich verdächtig ausgesehen.

»Aber so war das gar nicht«, versuchte ich ihm zu erklären, doch er gab mir keine Chance.

»Verschwindet hier! Du und deine stinkende Katze!«, schrie er außer sich vor Wut. »Dieb! Lügner!«

Geoffs Version dieser Geschichte machte die Runde unter den anderen *Big-Issue*-Verkäufern. Es dauerte nicht lange und die »Stille Post« zeigte Wirkung.

Ständig musste ich mir dumme Sprüche anhören. »Na, flanierst du wieder?« oder »Wem willst du heute wieder die Kunden klauen mit deinem schäbigen Streuner?«

Immer wieder versuchte ich zu erklären, was wirklich passiert war, aber genauso gut hätte ich mit einer Wand reden können.

Das machte mir schwer zu schaffen. Ich hatte mich so bemüht, alles richtig zu machen, um in der *Big-Issue*-Familie von Covent Garden aufgenommen zu werden. Immer wieder hatte ich versucht, allen verständlich zu machen, welche Wirkung Bob auf die Menschen hatte. Aber es half alles nichts. Sie hörten mir einfach nicht zu.

»Du bist gesperrt, bis du diese Sache mit der Hauptverwaltung geklärt hast«, erklärte mir Sam geduldig. »Du darfst nicht flanieren, James. Das ist ein grober Verstoß gegen die Regeln.«

Das war's also. Ich stand auf der »Schwarzen Liste«.

An diesem Abend gingen Bob und ich gleich nach dem Essen ins Bett. Bob rollte sich zufrieden am Fußende zusammen, während ich mir völlig erschlagen und trotzdem schlaflos unter der Bettdecke den Kopf zerbrach, was ich nun tun sollte.

Ob ich in der Zentrale in Vauxhall die Kündigung bekäme? Ich hatte doch schon meine Existenz als Straßenmusiker verloren. Nicht jetzt auch noch diesen Job.

Das durfte nicht passieren, aber mir fiel keine bessere Lösung ein, als einfach nicht zur Hauptverwaltung zu gehen. Lieber wollte ich mir in Zukunft meine Magazine von fremden Vertriebsleitern aus anderen Stadtteilen holen. Damit ging ich zwar auch ein Risiko ein, weil ich ja offiziell gesperrt war, aber ich wollte es wenigstens probieren.

Zuerst versuchte ich es an der Oxford Street, wo ich schon ein paar Leute kannte. Ich zeigte kurz meinen Ausweis vor und kaufte zwanzig Zeitschriften. Der Vertriebsleiter war gerade mit anderen Dingen beschäftigt und nahm kaum Notiz von mir. Ich sah zu, dass ich Land gewann, bevor er auf die Idee kam, seine Schwarze Liste zu kontrollieren. Ich suchte mir einen Platz, wo weit und breit kein Verkäufer zu sehen war, und legte los.

Ich habe ganz gut verkauft an diesem Tag – und auch am nächsten. Täglich wechselte ich meinen Standort, aus Angst, verfolgt zu werden und meinen Job zu verlieren.

Bob litt am meisten unter diesem Versteckspiel. Jeden Tag ein fremdes Revier, das war nichts für ihn. Katzen sind Gewohnheitstiere, und Bob war da keine Ausnahme. Er hasste es, sich jeden Tag auf Neuland einlassen zu müssen. Mir ging es ähnlich. Aber hatte ich eine Wahl?

»Warum passiert das gerade uns, Bob?«, fragte ich ihn, als wir eines Abends zur Bushaltestelle liefen. »Wir haben nichts falsch gemacht. Warum lässt man uns nicht einfach in Ruhe?«

Kapitel 23
Die große Veränderung

Ich saß unter einem alten, zerrupften Schirm auf einer Straße an der Victoria U-Bahn-Station. An diesem Samstagabend streikte Bob und gab mir damit zu verstehen, dass ich einen Fehler gemacht hatte.

Seit vier Stunden prasselte starker Regen auf uns herab, und genauso lange war niemand mehr stehen geblieben, um uns eine Zeitschrift abzukaufen. Ich konnte es auch keinem verdenken, dass er so schnell wie möglich ins Trockene flüchten wollte.

Als »fliegender Händler« jeden Tag woanders Zeitungen zu verkaufen war alles andere als lukrativ. Von einigen Straßenecken rund um die Oxford Street, Paddington, King's Cross, Euston und noch einigen mehr waren Bob und ich vertrieben worden.

»Das ist das dritte Mal, dass ich Sie bitte, von hier wegzugehen«, schimpfte ein Polizist. »Das ist jetzt eine inoffizielle Verwarnung. Beim nächsten Mal nehme ich Sie fest.«

Also versuchte ich, die großen Standorte zu meiden, und trieb mich in Seitenstraßen herum. Aber dort war es trotz Bob verdammt schwer, meine Zeitungen loszuwerden.

An diesem Tag an der Victoria Station wurde es bereits dunkel, und der Regen wollte nicht nachlassen.

»Ich glaube, wir sollten es noch woanders versuchen, Kumpel«, sagte ich zu Bob und packte zusammen. »Wir müssen diese

Magazine heute noch verkaufen. Am Montag sind sie nichts mehr wert, und dann haben wir wirklich ein Problem. Los, komm, da müssen wir jetzt durch.«

Bis zu diesem Moment war Bob immer ein geduldiger Begleiter gewesen, auch an den allerschlimmsten Tagen. Er ließ sich nicht einmal von einem Schwall dreckigem Pfützenwasser aus der Ruhe bringen, das wir immer wieder von vorüberrasenden Autos abbekamen. Dabei hasste er es wirklich, bei kaltem Wetter auch noch nass zu werden. Aber als ich mich an der nächsten Straßenecke niederlassen wollte, zog er an der Leine wie ein Hund und weigerte sich mit aller Kraft, stehen zu bleiben.

»Okay, Bob, ich verstehe schon, was du mir sagen willst«, gab ich nach. »Wir versuchen es woanders.«

Aber auch am nächsten Platz, den ich für uns aussuchte, wiederholte er sein störrisches Spiel. Und wieder ließ ich mich von ihm weiterziehen, obwohl er auch diesen Platz wieder ablehnte. Bis mir endlich ein Licht aufging: »Du willst nach Hause, nicht wahr?«

Er neigte seinen Kopf leicht zur Seite und sah mich – ich schwöre, dass es so war – mit hochgezogener Augenbraue an. Dann blieb er stehen. Seine Miene war eindeutig:

»Es reicht. Genug ist genug. Ich will, dass du mich sofort auf deine Schulter lässt.«

In diesem Moment traf ich endlich die richtige Entscheidung. Bob hatte bisher immer treu zu mir gehalten, obwohl das Geschäft so schlecht lief, dass sogar sein Futternapf etwas weniger gefüllt war als bisher. Jetzt war es an mir, diese Treue zu belohnen und uns wieder auf den rechten Weg zurückzuführen.

Ich musste über meinen Schatten springen und mich meinem Problem mit der *Big-Issue*-Verwaltung stellen. Das war ich nicht nur mir, sondern auch Bob schuldig. Ich konnte ihm das nicht länger zumuten.

Am folgenden Montag zog ich nach dem Duschen ein gutes Hemd an und machte mich mit Bob auf den Weg nach Vauxhall.

Nach etwa zwanzig Minuten Wartezeit holten uns ein junger Mann und eine ältere Frau am Empfang ab und führten uns in einen kahlen Büroraum.

»Schließen Sie die Tür«, sagte die Frau.

Ich hielt den Atem an, denn ich war auf das Schlimmste gefasst. Zuerst musste ich mir eine gehörige Standpauke anhören.

»Es gab zahlreiche Beschwerden gegen Sie, weil Sie flanieren und betteln«, warfen sie mir vor.

»Das kann man so nicht sagen«, versuchte ich unsere Situation zu erklären. »Wegen Bob werde ich immer wieder von Leuten aufgehalten, die mir Geld zustecken oder mich um eine Zeitschrift bitten. Das passiert uns dauernd. Es ist doch unhöflich, wenn ich mich weigere, ihnen eine Zeitung zu verkaufen.«

Sie hörten mir aufmerksam zu und nickten sogar bei manchen Punkten, die ich aufführte.

»Wir sehen ein, dass Bob eine Menge Aufmerksamkeit erregt«, sagte der junge Mann. »Ein paar Verkäufer haben uns erzählt, wie gut er bei den Kunden ankommt. Trotzdem kommen wir hier um eine mündliche Verwarnung nicht herum. Sie dürfen weiterarbeiten, aber wenn Sie noch einmal beim Flanieren erwischt werden, kann sich das schnell ändern.«

Das war alles?

Ich kam mir so dumm vor. Eine mündliche Verwarnung war so

gut wie nichts! Ich hatte mich wieder einmal so sehr von meinen dunklen Gedanken vereinnahmen lassen, dass ich total in Panik geraten war und den Teufel an die Wand gemalt hatte. Ich war davon ausgegangen, meinen Job zu verlieren, dabei wäre es gar nicht so weit gekommen.

Ich fuhr sofort nach Covent Garden.

Als Sam uns kommen sah, lächelte sie breit.

»Ich hatte schon befürchtet, euch beide nie wiederzusehen«, empfing sie uns. »Warst du jetzt in der Verwaltung und hast die Sache geklärt?«

Ich nickte und musste unweigerlich grinsen. »Sie haben mir eine mündliche Verwarnung gegeben.«

»Okay, das heißt: Du bist zurück, aber auf Bewährung. Du darfst in den nächsten beiden Wochen erst ab halb fünf verkaufen und nur am Sonntag ganztags. Erst danach darfst du wieder zu den regulären Zeiten arbeiten. Und bitte, James: Wenn dich wieder mal jemand unterwegs anspricht und dir eine Zeitschrift abkaufen will, sag einfach, du hättest keine mehr oder dass alle für deine Stammkunden reserviert sind.«

Das war ein guter Rat.

Es war Sonntagnachmittag und ich war mit Bob nach Covent Garden gekommen, um ein paar Stunden zu arbeiten. Wir saßen ganz in der Nähe des Vertriebsleiterstandes auf der James Street, als Stan auf uns zutorkelte.

Stan war in *Big-Issue*-Kreisen bekannt wie ein bunter Hund. Das Problem war, dass man ihn nicht einschätzen konnte. Denn er konnte der netteste Kerl der Welt sein, sich aber innerhalb von

Sekunden in eine übellaunige Nervensäge verwandeln. An diesem Tag war Stan die Nervensäge.

Er war breit wie ein Schrank und dazu fast zwei Meter groß. Er bückte sich zu mir herunter und brüllte mir ins Ohr: »Du hast hier nix zu suchen, du bist verbannt worden!«

»Sam hat gesagt, ich darf hier sonntags arbeiten und an den anderen Tagen ab halb fünf«, verteidigte ich mich.

»Das stimmt«, kam mir Peter vom Vertriebsleiterstand zu Hilfe. »Lass James in Ruhe, Stan.«

Stan taumelte kurz rückwärts, kam uns dann aber wieder sehr nahe. Diesmal fixierte er Bob und sein Blick war voller Hass.

»Wenn es nach mir ginge, würde ich dieser Katze auf der Stelle den Hals umdrehen«, knurrte er.

Ich holte tief Luft, hielt mich aber zurück.

Wenn er Bob anrührt, hau ich ihm eine rein, dachte ich. Ich würde Bob jederzeit verteidigen, wie eine Mutter ihr Kind. Bob war mein Baby. Aber das wäre auch das Ende meiner *Big-Issue*-Karriere gewesen. Dann hätte ich nie wieder für diesen Verein arbeiten dürfen.

In diesem Moment traf ich gleich zwei Entscheidungen: Ich würde nicht länger in Stans Nähe arbeiten, solange er in dieser Stimmung war, und ich würde mich komplett aus Covent Garden verabschieden.

Das war keine leichte Entscheidung. Wir hatten dort eine Menge Stammkunden, die vor allem wegen Bob stehen blieben und mir eine Zeitung abkauften. Am besten wäre ein Stadtteil mit weniger Konkurrenz, eine Gegend, in der wir nicht so bekannt waren.

Bevor ich als Straßenmusiker Covent Garden entdeckte, spielte ich am U-Bahnhof Angel, der weiter nördlich im Stadtteil Islington lag. Es war eine gute Gegend. Gleich am nächsten Tag stattete ich dem dortigen Vertriebsleiter einen Besuch ab, um mich nach einem freien Verkaufsplatz in seinem Bezirk zu erkundigen.

»Du könntest es vor der U-Bahn-Station versuchen«, sagte er. »Dort will keiner hin.«

Das war ein Déjà-vu-Erlebnis.

Aber genau wie schon in Covent Garden wirkte Bobs magische Anziehungskraft auch hier im hektischen Bahnhofsbereich, den alle anderen Verkäufer mieden. Die Leute wurden auf ihn aufmerksam, vergaßen ihre Eile und blieben stehen. Es war, als würde Bob ihr Herz öffnen und ihnen Freude schenken. Mir ist schon klar, dass viele Leute mir nur deshalb eine *Big Issue* abkauften, weil Bob ihnen einen ganz besonderen Moment geschenkt hatte. Aber genau deshalb gab es von meiner Seite aus keinerlei Bedenken wegen des »schwierigen« Standortes vor der Angel Station.

Noch in der gleichen Woche fingen wir an zu arbeiten.

Und ich hatte recht. Die Leute blieben stehen, um Bob kennenzulernen. Es dauerte nicht lange und wir waren dort genauso gut im Geschäft wie in Covent Garden.

Der eine oder andere erkannte uns sogar wieder.

Eines Abends blieb eine gut gekleidete Dame in Kostüm abrupt vor uns stehen.

»Arbeiten Sie sonst nicht in Covent Garden?«, fragte sie leicht irritiert.

»Nein, Madam, nicht mehr«, antwortete ich mit breitem Lächeln.

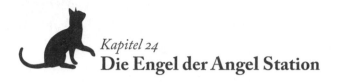

Kapitel 24
Die Engel der Angel Station

Bob war sehr glücklich über unseren Umzug zur Angel Station. Wenn wir in Islington Green ausstiegen, wollte er nicht mehr auf meine Schulter, wie sonst immer auf dem Weg nach Covent Garden. Stattdessen lief er an der Leine vor mir her durch die Camden-Passage, eine alte Nebenstraße mit Kopfsteinpflaster, die berühmt ist für all ihre Autiquitätenläden, Cafés, Pubs und Restaurants, Richtung Islington High Street bis zu dem großen asphaltierten Platz vor dem Eingang des U-Bahnhofs.

Manchmal mussten wir vorher noch zum *Big-Issue*-Vertriebsleiter auf der anderen Seite von Green. Dann zog mich Bob immer in die kleine Grünanlage, die auf dem Weg lag. Ich setzte mich auf eine Bank und sah ihm zu, wie er sich auf der Suche nach kleinen Nagern und Vögeln durch das Gebüsch schnüffelte. Eifrig steckte er seine Nase in alle möglichen Schlupfwinkel und jedes Versteck.

Sobald wir an unserem neuen Arbeitsplatz ankamen, wartete er geduldig, bis ich meinen Rucksack und ein Exemplar der aktuellen *Big Issue* hingelegt hatte. Dann setzte er sich auf den Rucksack, leckte sich den Staub unserer Anreise vom Fell, um so unseren Arbeitstag frisch zu beginnen.

Auch ich fühlte mich sehr wohl an unserem neuen Stammplatz. Islington war ein Neuanfang, und von hier würde uns keiner mehr vertreiben.

Der Stadtteil Angel war ganz anders als Covent Garden und die Straßen rund um das West End. Auch hier waren eine Menge Touristen unterwegs, aber es war auch eines der besseren Wohn- und Geschäftsviertel Londons mit vielen angesehenen Firmen. Abends hasteten ganze Horden von Geschäftsleuten in den U-Bahnhof hinein oder kamen von der Arbeit zurück. Viele von ihnen bemerkten den roten Kater gar nicht, der am Eingang saß. Aber es waren immer noch genug, denen er auffiel und die ihn sofort ins Herz schlossen. Diese Geschäftsleute waren auch sehr großzügig. Sowohl unsere Verkäufe als auch das Trinkgeld waren bald etwas höher als in Covent Garden.

Auch die Anwohner rund um die Haltestelle Angel mochten uns. Bob bekam von Anfang an regelmäßig Futter geschenkt. Am zweiten oder dritten Tag blieb eine elegant gekleidete Dame stehen, um sich mit uns zu unterhalten.

»Werden Sie jetzt öfter hier sein?«, fragte sie.

Ich beäugte sie misstrauisch. Wollte sie sich etwa über uns beschweren? Aber ich irrte mich gewaltig. Am nächsten Tag hatte sie eine kleine Tüte mit Katzenmilch und einer Dose Futter dabei.

»Hier, Bob, das ist für dich!«, sagte sie und legte ihm die Tüte vor die Pfoten.

Immer mehr Anwohner brachten Futter für Bob.

Ein Stück weiter die Straße hinunter war ein großer Supermarkt. Wenn die Leute dort einkaufen gingen, nahmen sie auch etwas für Bob mit. Auf dem Heimweg lieferten sie ihre Geschenke dann bei uns ab.

Nach ein paar Wochen an der Angel U-Bahn-Station hatten wir bereits mehr als fünf Futterspender für Bob, die regelmäßig was vorbeibrachten.

Wenn ich abends zusammenpackte, passten die vielen Dosen mit Katzenmilch, Futter und Fischkonserven nicht mehr in meinen Rucksack. Ich musste sie in einer Plastiktüte nach Hause transportieren. Bobs Futterspenden nahmen inzwischen ein ganzes Regal in meinem Küchenschrank ein, und der Vorrat reichte mittlerweile für eine ganze Woche.

Auch die U-Bahn-Mitarbeiter der Angel Station waren viel netter zu uns als die von Covent Garden. Als eines Tages die Sonne so heiß herunterbrannte, dass ich in meinen Jeans und schwarzem T-Shirt nur so vor mich hinschwitzte, setzte ich Bob in den Schatten des Gebäudes hinter uns. Er brauchte dringend etwas zu trinken. Noch bevor ich Wasser holen konnte, kam jemand mit einer silbernen Schüssel aus dem Bahnhof. Es war Davika, eine der Fahrkartenkontrolleurinnen, die sich schon oft mit uns unterhalten hatte.

»Hier, Bob«, sagte sie und kraulte ihm den Nacken, als sie ihm die Schüssel mit klarem, kaltem Wasser hinstellte. »Wir wollen ja nicht, dass du uns austrocknest.«

Das ließ sich Bob nicht zweimal sagen und schlabberte genüsslich die ganze Schüssel leer.

Bob fand immer schnell Freunde, aber die Herzen der Anwohner von Islington hatte er in nur wenigen Wochen im Sturm erobert. Es war unglaublich.

Das klingt jetzt alles sehr idyllisch, aber auch in Angel gab es Störenfriede. Schließlich waren wir immer noch in London.

Während sich in Covent Garden die Straßenkünstler auf ein relativ großes Gebiet verteilten, konzentrierte sich hier alles auf den Platz vor dem U-Bahnhof. Deshalb gab es um uns herum eine Menge anderer Leute, die auf der Straße entweder kostenlose Zeitschriften verteilten oder als Spendensammler unterwegs waren.

Eines Tages stritt ich mich heftig mit einem Lockenkopf, der für eine Wohltätigkeitsorganisation arbeitete und die Passanten so lange bequatschte, bis sie eine Einzugsermächtigung für regelmäßige Spendenabbuchungen von ihrem Bankkonto unterschrieben. Er verärgerte die Leute, weil er um sie herum tanzte und neben ihnen herlief, obwohl sie versuchten, ihn loszuwerden.

Nach einer Weile konnte ich das nicht länger mit ansehen.

»Hör mal, Kumpel. Du machst allen anderen, die hier arbeiten, das Leben schwer, merkst du das nicht? Kannst du bitte ein Stück weiter weg gehen und Abstand halten?«

Aber er wehrte sich: »Ich habe das Recht, hier zu sein, und lasse mich von Ihnen nicht vertreiben.«

»Du verdienst dir doch hier nur ein bisschen Taschengeld in deinen Semesterferien, oder?« Er nickte misstrauisch.

»Siehst du! Und ich muss hier Geld verdienen, um meine Rechnungen zu bezahlen und um Bob und mir das Dach über dem Kopf zu erhalten.«

Meine deutlichen Worte zeigten Wirkung. Sie nahmen ihm den Wind aus den Segeln.

Ich war der einzige Verkäufer mit Lizenz vor diesem Bahnhof. Aber den Spendensammlern, Dosenschüttlern und Zeitungsverteilern war das egal.

Zum Glück waren sie nicht immer da und alles in allem hatte ich eine gute Entscheidung getroffen.

Es gab jetzt nur noch eine große Hürde, die ich in Angriff nehmen musste. Die Zeit war gekommen, um mich endlich aus meiner Sucht zu befreien – für immer.

Kapitel 25
48 Stunden

Der junge Arzt in der Drogenambulanz unterschrieb mein Rezept.

»Das nimmst du noch, James, und nach achtundvierzig Stunden kommst du wieder hierher«, fasste er zusammen, was wir gerade ausgiebig besprochen hatten. »Das wird nicht leicht, aber du musst alles genau so machen, wie ich es dir erklärt habe, sonst hältst du diese zwei Tage nicht durch. Okay?«

Endlich hatten die Psychologen und Ärzte meinem lang gehegten Wunsch zugestimmt, den nächsten Schritt in ein drogenfreies Leben zu wagen. Das war mein letztes Rezept für Methadon, die Ersatzdroge, die mir den Entzug von Heroin ermöglicht hatte. In achtundvierzig Stunden würde ich ein anderes, viel leichteres Medikament namens Subutex bekommen, dank dem ich irgendwann gar keine Medikamente mehr brauchen würde.

»Der Entzug geht auf Körper und Geist«, hatte mich der psychologische Berater gewarnt. »Erst wenn du es überhaupt nicht mehr aushältst und frühestens nach achtundvierzig Stunden, darfst du wiederkommen und dir die erste Dosis Subutex abholen.« Wie er mir erklärt hatte, verursacht Methadon die gleichen Entzugserscheinungen wie Heroin. Aber es war wichtig, sie so lange auszuhalten, bis auch der letzte Rest der Droge vom Körper abgebaut war, um durch die verfrühte Einnahme von Subutex keinen so genannten Cold Turkey hervorzurufen. Dabei wären die Schmerzen viel schlimmer als beim langsam einsetzenden Methadon-Entzug.

Ich fühlte mich der Sache gewachsen. Ich wollte das unbedingt schaffen und war mir sicher, dass es auch klappte.

Zehn Jahre meines Lebens hatte ich mit Heroin vergeudet. Wenn man auf Drogen ist, verliert man jedes Zeitgefühl. Minuten werden zu Stunden und Stunden zu Tagen. Zeit ist nur wichtig, wenn man den nächsten Schuss braucht. Bis dahin schwebt man im Nichts. Ich wollte das nie wieder erleben.

Schließlich musste ich mich um Bob kümmern.

Auch diesmal hatte ich Bob nicht zur Drogenklinik mitgenommen. Ich schämte mich für diesen Teil meines Lebens. Auch vor Bob.

Als ich nach Hause kam, wurde ich von Bob freudig begrüßt. Vielleicht lag es aber auch an der verführerisch duftenden Einkaufstüte. Ich hatte uns im Supermarkt einen Vorrat an Lebensmitteln und anderen Leckereien besorgt, um die nächsten zwei Tage zu überstehen. Jeder, der schon mal versucht hat, sich eine schlechte Angewohnheit abzugewöhnen, weiß, wie schwer das ist. Die ersten achtundvierzig Stunden sind die schlimmsten. Die kann man nur überstehen, wenn man sich ablenkt. Deshalb war ich so froh, dass Bob bei mir war. Er würde mir helfen, durchzuhalten.

Mittags machten wir es uns auf dem Sofa vor dem Fernseher gemütlich, ich aß eine Kleinigkeit und dann begann die Wartezeit.

Die Wirkung des Methadons hielt etwa vierundzwanzig Stunden an, deshalb waren die nächsten Stunden noch kein Problem. Ich spielte lange und ausgiebig mit Bob, und wir machten einen kleinen

Spaziergang an der frischen Luft. Danach lenkte ich mich mit einer uralten Version von »Halo 2« auf meiner fast genauso alten XBox ab. Ich fühlte mich gut, wusste aber, dass sich das bald ändern würde.

Genau vierundzwanzig Stunden nach meiner letzten Dosis Methadon setzten die Entzugserscheinungen ein. Acht Stunden später war ich schweißgebadet, und mein ganzer Körper zuckte, als stünde er unter Strom. Es war mitten in der Nacht, und ich hatte schon geschlafen. Ich nickte zwar immer wieder ein, aber es fühlte sich an, als wäre ich die ganze Zeit wach.

Ich träumte davon, dass ich versuchte, Heroin zu nehmen, aber im letzten Moment kam immer etwas dazwischen und hielt mich davon ab. Mein Körper rebellierte, weil er nicht das bekam, was er wollte. In meinem Kopf tobte eine Schlacht zwischen Gut und Böse.

Der Wechsel von Heroin auf Methadon war Jahre her, aber das war nicht halb so schlimm gewesen. Diese Symptome waren eine neue, unerwartet heftige Erfahrung.

Am nächsten Morgen hatte ich unerträgliche Kopfschmerzen, die einer Migräne gleichkamen. Licht und Geräusche waren nicht auszuhalten. Ich versuchte, im Dunkeln zu sitzen, aber dann fing ich an zu halluzinieren und das wollte ich nicht zulassen. Es war ein Teufelskreis, aus dem ich allein nicht mehr herausfand.

Bob war meine Rettung.

Es war, als könnte er meine Gedanken lesen. Er wusste, dass ich ihn brauchte, und wich mir nicht von der Seite. Er spürte, wie schlecht es mir ging. Wenn ich einnickte, kam er mit seinem Gesicht ganz nah an meines, als wolle er fragen:

»Geht es dir gut, Kumpel? Ich bin da, falls du mich brauchst.«

Oder er kuschelte sich an mich, schnurrte beruhigend, rieb sanft seinen Kopf an mir und leckte mit seiner rauen Zunge hin und wieder mein Gesicht. Sobald ich abdriftete, brachte er mich so immer wieder zurück in die Realität.

Seine Anwesenheit in diesen schweren Stunden war in vieler Hinsicht ein Geschenk des Himmels, denn ich war gezwungen, weiterhin meine Pflichten zu erfüllen. In die Küche gehen, eine Futterdose öffnen und in seiner Schüssel durchmischen – das lenkte mich von meinen Qualen ab. Ich konnte mich zwar nicht aufraffen, ihn nach unten zu begleiten, aber ich machte ihm die Tür auf. Er raste davon und war in kürzester Zeit zurück. Als wollte er mich keine Sekunde länger als nötig aus den Augen lassen.

Am zweiten Tag ging es mir morgens etwas besser. Fast zwei Stunden spielten Bob und ich miteinander. Dann las ich ein bisschen. Es war ziemlich schwer, sich auf die Handlung zu konzentrieren, aber es brachte mich auf andere Gedanken. In dem Buch ging es um einen amerikanischen Marinesoldaten, der in Afghanistan Hunde rettete. Es tat gut, über das Leben von jemand anderem nachzudenken.

Am Nachmittag wurden die Entzugserscheinungen wieder stärker, fast unerträglich. Am schlimmsten waren die körperlichen Symptome. Ich bekam Krämpfe in den Gliedmaßen und unkontrollierbare Zuckungen. Meine Beine schlugen einfach aus, ohne dass ich es beeinflussen konnte. Bob bekam es mit der Angst zu tun und warf mir verständnislose Blicke zu, aber er ließ mich nicht allein.

Die zweite Nacht war ein Albtraum. Ich konnte mich nicht mit Fernsehen ablenken, da ich weder den erleuchteten Bildschirm noch die Geräusche ertragen konnte. In meinem Kopf tobten sich die wirrsten Gedanken aus. Entweder war mir so heiß, dass ich mich wie in einem Backofen fühlte, oder ich bibberte vor Kälte. Der Schweiß, der meinen ganzen Körper bedeckte, wurde plötzlich eiskalt, und ich begann zu zittern. Wenn ich mich zudeckte, fing ich wieder an zu schwitzen. Meine Beine zuckten immer noch unkontrollierbar und ließen mich auch nicht zur Ruhe kommen. Ich drehte fast durch.

Ich verstand jetzt, warum es manchen Leuten so schwerfällt, clean zu werden. In meinen wirren Gedanken sah – und roch – ich die Gassen und Unterführungen, wo ich als Obdachloser die Nächte verbracht hatte, die Unterkünfte, in denen ich jede Nacht um mein Leben gebangt hatte, und ich erinnerte mich an all die schrecklichen Dinge, die ich in dieser Zeit getan hatte. Ich sah in den Abgrund und begriff, wie sehr die Sucht mein Leben kaputt gemacht hatte.

Ich will nicht leugnen, dass ich in den letzten Stunden immer wieder kurz davor stand, diesen Entzug abzubrechen. Nur der Gedanke, dass ein Ende dieser Tortur aus Durchfall, Krämpfen, Erbrechen, Kopfschmerzen und Hitze- und Kältewallungen abzusehen war, machte mich stark genug, um durchzuhalten.

Trotzdem war es die längste Nacht meines Lebens. Die Zeiger der Uhr schienen rückwärts zu laufen. Die Dunkelheit wurde immer intensiver und wollte einfach nicht dem Morgengrauen weichen. Es war wirklich nicht auszuhalten.

Zum Glück hatte ich meine Geheimwaffe Bob.

Als ich zum wiederholten Mal versuchte, so still wie möglich dazuliegen und alle Gedanken und Gefühle abzuschalten, spürte ich Bobs Krallen, die sich schmerzhaft in meinen Oberschenkel drückten.

»Was tust du da, Bob?«, brüllte ich entsetzt, sodass er erschrocken hochsprang.

Mein Ausbruch tat mir sofort leid. Bob hatte wohl Angst bekommen, weil ich so still und bewegungslos dalag. Er wollte nur wissen, ob ich noch lebte. Er hatte sich Sorgen um mich gemacht.

Irgendwann zeichnete sich mit verschwommenem Grau vor meinem Fenster doch noch das Ende dieser unendlichen Nacht ab. Endlich Tagesanbruch. Es war schon fast acht Uhr, als ich es schaffte, mich aus dem Bett zu quälen. Die Drogenambulanz öffnete um neun. Ich wollte keine Minute zu spät kommen.

Um diese Zeit war der Bus von Tottenham nach Camden immer voll. Aber an diesem Morgen war er total überfüllt. Die Leute hielten Abstand von mir, als wäre ich ein Verrückter. Bestimmt sah ich grauenvoll aus, aber das war mir egal. Ich wollte nur so schnell wie möglich in die Klinik.

Es war erst kurz nach neun, als ich endlich ankam, aber der Warteraum war schon halb voll. Da waren zwei Typen, die genauso schlimm aussahen, wie ich mich fühlte. Wahrscheinlich hatten sie auch gerade die schlimmsten achtundvierzig Stunden ihres Lebens hinter sich.

»Hallo, James, wie fühlst du dich?«, fragte der Arzt, als er in den Behandlungsraum kam, in den man mich geführt hatte.

»Nicht gut«, krächzte ich.

»Ja, aber du hast es geschafft. Tolle Leistung!«, lobte er mich.

Nach der Untersuchung musste ich noch eine Urinprobe abgeben. Dann erst bekam ich endlich die erste Tablette Subutex und ein Rezept für dieses Medikament.

»Du wirst dich gleich viel besser fühlen«, versprach er mir. »Wir werden die Dosis langsam verringern, bis du nie wieder hierherkommen musst.«

Als ich in Tottenham aus dem Bus stieg, war ich ein anderer Mensch. Ich nahm meine Umgebung viel deutlicher wahr. Ich sah, hörte und roch besser. Die Farben erschienen mir kräftiger, die Geräusche klarer und ich nahm unterschiedliche Gerüche um mich herum wahr. Es mag vielleicht seltsam klingen, aber ich fühlte mich viel lebendiger.

Ich ging in den nächsten Laden und kaufte für Bob ein paar Beutel seines Lieblingsfutters und ein neues Spielzeug, eine kleine Maus.

Zurück in der Wohnung lobte und verwöhnte ich ihn nach Strich und Faden.

»Wir haben es geschafft, Bob!«, jubelte ich. »Nur mit deiner Hilfe habe ich es geschafft!«

Es war ein unbeschreibliches Gefühl, etwas Großartiges geleistet zu haben. In den nächsten Tagen ging es mir immer besser, und ich fühlte mich gesünder und lebendiger als je zuvor. Es kam mir vor, als hätte jemand die Vorhänge zurückgezogen und die Sonne in mein Leben gelassen.

Und so war es auch: Dieser »Jemand« war Bob.

Kapitel 26
Die Heimreise

Auch wenn ich das nicht für möglich gehalten hatte, aber diese achtundvierzig Stunden haben Bob und mich noch stärker aneinandergebunden. In den nächsten Tagen klebte Bob an mir wie eine Klette. Er ließ mich nicht aus den Augen, vor lauter Angst, ich könnte einen Rückfall erleiden.

Aber seine Sorge um mich war unbegründet.

Ich feierte meinen Durchbruch mit einer Verschönerung unseres Zuhauses. Um uns das leisten zu können, arbeiteten Bob und ich jeden Tag ein paar Stunden länger. Davon kauften wir Farbe, ein paar Kissen und Bilder für die Wände.

In einem Secondhand-Möbelhaus fand ich ein schickes neues Sofa für uns. Das alte war völlig verschlissen, vor allem, weil Bob so gerne seine Krallen daran schärfte. Bei dem neuen Sofa hatte Bob Kratzverbot.

Ich freute mich schon auf unser nächstes gemeinsames Weihnachtsfest. Aber das war etwas voreilig von mir, wie ich schon bald erfahren sollte.

Im November 2008 lag eines Morgens ein Umschlag in meinem Briefkasten. Es war ein Luftpostbrief mit einem Poststempel aus Tasmanien, der Insel vor der Südküste Australiens.

Er war von meiner Mutter.

Lieber James,

wie geht es dir? Ich habe schon so lange nichts von dir gehört. Ich bin nach Tasmanien gezogen und bin hier sehr glücklich. Wir haben eine kleine Farm gekauft. Sie liegt an einem kleinen Bach, mitten in der Natur. Würdest du mich besuchen kommen, wenn ich dir die Flüge bezahle? Vielleicht über Weihnachten? Vielleicht könntest du auch nach Melbourne fliegen, um deine Paten zu besuchen? Ihr habt euch doch immer so gut verstanden. Bitte melde dich.

In Liebe,
Mum

Noch vor Kurzem hätte ich den Brief einfach in den Mülleimer geworfen. Ich war zu stolz und trotzig, um mir von meiner Familie helfen zu lassen. Aber Bob hatte auch in diesem Punkt ganze Arbeit geleistet. Ich nahm mir vor, zumindest mal darüber nachzudenken.

Die Entscheidung fiel mir nicht leicht, denn es gab viele Vor- und Nachteile.

Natürlich wollte ich meine Mutter wiedersehen. Das war der größte Vorteil. Klar, wir hatten in der Vergangenheit unsere Probleme miteinander, aber sie war meine Mutter und ich vermisste sie sehr.

Ich hatte ihr nie die Wahrheit über mein Leben in London erzählt. Bei ihrem letzten Besuch haben wir uns für ein paar Stunden in einem Lokal getroffen, und ich habe ihr eine Menge Lügen aufgetischt.

»Ich habe eine Band hier in London«, schwindelte ich ihr vor.

»Ich kann jetzt nicht nach Australien zurückkommen, denn wir stehen kurz vor dem Durchbruch.«

Ich hatte weder den Mut noch die Kraft, ihr zu sagen, dass ich obdachlos war, drogenabhängig und dabei, mein Leben kaputt zu machen.

Ich habe mich monatelang nicht bei ihr gemeldet. Das Heroin war schuld daran. Wenn man süchtig ist, denkt man nur noch an sich. Diese Einladung nach Australien war meine Chance, mich mit ihr zu versöhnen und reinen Tisch zu machen.

Außerdem wäre es ein toller Urlaub mit viel Sonnenschein und Wärme – etwas, das mir seit Jahren fehlte. Aber was sollte ich mit Bob machen? Wer sollte sich in der Zeit um ihn kümmern? Würde er auf mich warten, bis ich zurückkam? Wollte ich wirklich wochenlang von meinem Seelenverwandten getrennt sein?

»Meine Mutter hat mich nach Australien eingeladen«, erzählte ich meiner Freundin Belle. »Ich würde schon gerne fliegen, aber was soll ich in der Zeit mit Bob machen?«

»Ich nehme ihn mit zu mir«, erwiderte Belle wie aus der Pistole geschossen.

Belle konnte ich bedingungslos vertrauen, und sie würde sich gut um ihn kümmern. Sie war die ideale Bob-Sitterin, aber ich machte mir trotzdem Gedanken darüber, wie Bob mit unserer Trennung umgehen würde, falls ich wirklich fliegen sollte.

Außerdem hatte ich ein Geldproblem. Auch wenn meine Mutter den Flug bezahlen würde, brauchte ich mindestens fünfhundert Pfund in bar, damit ich überhaupt einreisen durfte.

Ich dachte noch ein paar Tage darüber nach und entschied mich dann für Australien.

Ein Sozialarbeiter half mir dabei, einen neuen Pass zu beantragen. Dann kümmerte ich mich um die Flüge. Die günstigste Variante war ein Flug nach Peking und von dort aus nach Melbourne. Ich schickte meiner Mutter eine E-Mail mit allen Flugdaten und meiner neuen Passnummer. Ein paar Tage später mailte sie mir die Buchungsdaten für mein Flugticket zurück. So weit, so gut.

Jetzt musste ich mir nur noch fünfhundert Pfund zusammensparen. Das sollte machbar sein, hoffte ich zumindest.

In den folgenden Wochen arbeitete ich täglich von frühmorgens bis spätabends und bei jedem Wetter. Bob war meistens dabei. Nur bei Regenwetter ließ ich ihn zu Hause. Er hasste den Regen und ich wollte auch nicht, dass er vor meiner Abreise noch krank würde. Dann hätte ich den Flug stornieren müssen, denn einen kranken Bob hätte ich niemals allein gelassen.

Ich sparte jeden zusätzlichen Penny und hatte die nötige Summe kurz vor Reiseantritt tatsächlich beisammen.

In Belles Wohnung verabschiedete ich mich schweren Herzens von meinem kleinen Freund: »Bis bald, Bob. Sei brav und vergiss mich nicht.«

Bob war überhaupt nicht beunruhigt. Aber er hatte ja auch keine Ahnung, dass ich für sechs Wochen aus seinem Leben verschwand. Er war bei Belle bestens aufgehoben, aber ich machte mir trotzdem Sorgen. Ich war ein besorgter Vater, ein Löwe, der über sein Junges wacht.

Ich hatte einen entspannten Flug nach Australien erwartet, aber da war ich auf dem Holzweg. Er dauerte sechsunddreißig Stunden und die waren der reinste Albtraum. Als ich endlich in Tasmanien ankam, war ich völlig erschöpft.

Aber das Wiedersehen mit meiner Mutter war wunderbar. Sie

wartete am Flughafen auf mich und wollte mich gar nicht mehr aus ihrer Umarmung lassen. Sie weinte – ich glaube aus Freude, mich lebend wiederzusehen.

Ihr Haus war ein großer, geräumiger Bungalow mit riesigem Garten hinter dem Haus. Es war umgeben von weiten Feldern und am Ende ihres Grundstückes schlängelte sich ein kleiner Bach entlang. Es war ein sehr friedlicher, malerischer Ort. Einen Monat lang genoss ich diese Idylle, entspannte mich und sammelte neue Kräfte.

Schon nach zwei Wochen fühlte ich mich wie neugeboren. All meine Sorgen hatte ich in London zurückgelassen. Sie waren buchstäblich Zehntausende von Kilometern weit weg. Meine Mutter bekochte und umsorgte mich, und wir hatten alle Zeit der Welt, um uns auszusprechen und uns wieder näherzukommen.

Eines Abends, als wir auf der Terrasse hinter dem Haus saßen, sprudelte plötzlich alles aus mir heraus. Ich machte daraus weder eine Beichte noch ein hollywoodreifes Drama, ich fing einfach an zu erzählen und redete und redete.

Meine Mutter war fassungslos, als ich ihr beschrieb, was in den letzten zehn Jahren in meinem Leben wirklich passiert war.

»Als ich dich am Flughafen gesehen habe, habe ich zwar schon vermutet, dass es dir nicht so gut geht, aber ich hätte nie gedacht, dass es so schlimm ist«, flüsterte sie mit Tränen in den Augen. »Aber warum hast du mir nicht gesagt, dass du deinen Pass verloren hast? Warum hast du mich nicht angerufen und um Hilfe gebeten? Warum hast du dich nicht an deinen Vater gewandt? Es ist alles meine Schuld, nicht wahr? Ich habe immer zu viel gearbeitet und war nie für dich da.«

»Nein, ich bin selbst schuld an dem, was passiert ist«, wehrte ich ab. »Es war nicht deine Entscheidung, dass ich in Pappkartons schlafen und jeden Abend Drogen nehmen sollte. Dafür bin ich ganz allein verantwortlich.«

Das Eis war gebrochen. Wir redeten über die Vergangenheit, meine Kindheit in Australien und England. Nicht alle Gespräche waren ernst und dramatisch, wir haben auch viel miteinander gelacht. Ich musste einsehen, wie ähnlich wir uns doch waren, und wir konnten sogar über so manche Auseinandersetzung, die wir in meiner Teenagerzeit hatten, lachen.

»Wir haben eben beide einen Dickkopf«, erklärte meine Mutter. »Den hast du von mir.«

Sie wollte alles über meinen Drogenentzug wissen und wie es mir damit gerade ging.

»Es geht langsam vorwärts«, erklärte ich ihr. »Aber mit ein bisschen Glück werde ich wohl nächstes Jahr um diese Zeit keine Medikamente mehr brauchen.«

Bei unseren langen Gesprächen erzählte ich natürlich auch viel von Bob. Ich hatte ein Foto von ihm dabei, das ich jedem unter die Nase hielt, der nur das geringste Interesse zeigte.

»Er sieht sehr intelligent aus«, sagte meine Mutter, als sie das Bild sah.

»Oh ja, das ist er wirklich«, berichtete ich stolz. »Ich weiß nicht, was ohne Bob aus mir geworden wäre.«

Ein Teil von mir spielte mit dem Gedanken, zurück nach Australien zu ziehen. Aber dabei musste ich immer wieder an Bob denken. Er wäre ohne mich genauso verloren wie ich ohne ihn. Ich verwarf die Idee ziemlich schnell. Als meine letzte Urlaubswoche anbrach, saß ich im Geiste schon wieder im Flugzeug auf dem Weg zurück nach England.

Meine Mutter brachte mich zum Flughafen und winkte mir nach, als ich durch die Kontrolle zu meinem Flug nach Melbourne verschwand. Dort wollte ich noch ein paar Tage mit meinen Paten verbringen. Sie waren genauso schockiert wie meine Mutter, als ich ihnen meine Lebensgeschichte erzählte.

»Wir würden dich gern finanziell unterstützen und dir helfen, hier in Australien einen Job zu finden.«

Ich freute mich über ihr Angebot, lehnte es aber dankend ab: »Das ist wirklich lieb von euch. Aber da wartet jemand auf mich in London. Ich muss wirklich zurück.«

Ich war so ausgeruht und entspannt von meinem Urlaub in Australien, dass ich fast den gesamten Rückflug über schlief.

Ich konnte es nicht erwarten, Bob wiederzusehen, obwohl ich auch ein bisschen Angst hatte, dass er sich verändert haben könnte oder mich sogar vergessen hatte. Aber ich hatte mir umsonst Sorgen gemacht.

Kaum hatte ich Belles Wohnung betreten, sprang er von ihrem Sofa und rannte mir freudig schnurrend entgegen.

»Da bist du ja, Kumpel«, sagte ich überglücklich und konnte nicht mehr aufhören, ihn zu streicheln. Natürlich hatte ich ihm etwas mitgebracht: zwei kleine Plüschkängurus. Eines davon wurde sofort durch das ganze Zimmer geschubst und hoch in die Luft geworfen.

Als wir uns abends auf den Heimweg machten, kletterte er sofort auf meinen Arm und weiter auf meine Schulter. In diesem Moment war mein Urlaub am anderen Ende der Welt vergessen.

Alles, was zählte, war hier in London: Die zwei Musketiere waren wieder zusammen. Bob und ich gegen den Rest der Welt. Es war, als wäre ich nie weg gewesen.

Kapitel 27
Der Stationsliebling

Der Urlaub in Australien hatte mir wirklich gutgetan. Ich fühlte mich so stark und selbstbewusst wie seit Jahren nicht mehr. Wieder mit Bob vereint zu sein, machte mein Glück vollkommen. In Tasmanien hatte ein Teil von mir gefehlt. Nun mit Bob an meiner Seite fühlte ich mich wieder vollständig.

Der Alltag hatte uns schnell wieder. Und obwohl wir nun schon fast zwei Jahre zusammen waren, entdeckte ich immer wieder neue, bewundernswerte Eigenschaften an Bob.

In Australien hatte ich endlos über Bob gesprochen und jedem erzählt, wie klug er war. Manche meiner Zuhörer dachten bestimmt, ich wäre verrückt.

»Eine Katze kann nicht so intelligent sein«, werden sie gedacht haben.

Aber zwei Wochen nach meiner Rückkehr stellte ich fest, dass ich noch untertrieben hatte.

Bobs abgrundtiefe Abneigung gegen sein Katzenklo war schon immer lästig gewesen. Er wollte es einfach nicht benutzen. Ein paar Säcke Streu, die ich gekauft hatte, als Bob bei mir eingezogen war, verstaubten im Schrank.

Für mich war es umständlich und nervig, ihn jedes Mal, wenn er musste, fünf Etagen nach unten vor die Tür zu begleiten.

Aber schon in den Monaten vor meiner Reise und auch nach

meiner Rückkehr war mir aufgefallen, dass wir nicht so oft rausmussten wie früher.

Ich hatte sogar schon befürchtet, dass er irgendein Problem haben könnte, und hatte ihn deshalb in der Tierambulanz in Islington Green untersuchen lassen.

»Er ist völlig gesund«, versicherte mir der Tierarzt. »Vielleicht ist das nur eine Stoffwechselveränderung, jetzt, wo er ausgewachsen ist.«

Aber der wahre Grund, warum Bob immer seltener Ausflüge zu seinem Freiluftklo unternehmen wollte, war viel amüsanter.

Als ich eines Morgens viel zu früh aufwachte, weil meine innere Uhr von der Zeitverschiebung noch völlig durcheinander war, rollte ich mich aus dem Bett und tappte schlaftrunken zur Toilette. Die Tür war einen Spalt geöffnet, und ich hörte ein leises Pinkelgeräusch.

Komisch, dachte ich. *Ist etwa jemand bei mir eingebrochen, um die Toilette zu benutzen?*

Langsam und vorsichtig drückte ich die Tür ein Stück weiter auf und konnte nicht glauben, was ich sah: Bob hockte auf dem Toilettensitz und pinkelte mit konzentriertem Gesichtsausdruck in die Kloschüssel.

Der Weg nach unten war ihm scheinbar selbst zu nervig geworden. Er hatte mich in den vergangen zwei Jahren oft genug dabei beobachtet, wie ich die Toilette benutzte, und kopierte einfach, was ich ihm vorgemacht hatte.

Als Bob bemerkte, wie ich ihn ungläubig anstarrte, erntete ich einen vernichtenden Blick.

»Starr mich nicht an!«, hieß das. »Ich erledige hier nur mein Geschäft, das ist ja wohl noch gestattet!«

Natürlich hatte er recht. Warum fiel ich immer wieder aus allen Wolken, wenn Bob etwas Ungewöhnliches tat? Er war nun mal eine außergewöhnliche Katze. Das sollte ich inzwischen wirklich kapiert haben.

Viele unserer Stammkunden an der Angel Station hatten uns tatsächlich vermisst.

»Da seid ihr ja wieder«, wurden wir in der ersten Woche immer wieder begrüßt. Oder: »Wir dachten schon, Sie haben im Lotto gewonnen.«

Eine Frau brachte uns sogar eine Karte, auf der »Wir haben euch vermisst« stand. Es war ein gutes Gefühl, wieder zu Hause zu sein.

Aber es gab natürlich auch den einen oder anderen, der nicht so glücklich über unsere Rückkehr war.

Eines Abends hatte ich eine hitzige Auseinandersetzung mit einer Chinesin. Sie war mir schon öfter aufgefallen, weil sie uns immer so missbilligend anstarrte, wenn sie an uns vorbeiging. An diesem Abend sprach sie mich an und drohte mir dabei mit dem Finger:

»Das ist nicht richtig, nicht richtig!«, meckerte sie.

»Äh, Entschuldigung, aber was ist nicht richtig?«, fragte ich verblüfft.

»Ist nicht normal, wie sich Katze benimmt«, warf sie mir in gebrochenem Englisch vor. »Er zu still, du gibst Drogen, ja?«

Schon in Covent Garden musste ich mich des Öfteren gegen diesen Vorwurf wehren.

»Ich habe Sie durchschaut!«, schnauzte mich ein Mann, der wie ein Professor aussah, eines Tages an. »Ich weiß genau, was Sie tun und was Sie ihm einflößen, damit er so ruhig und gehorsam ist.«

»Und was sollte das sein, Sir?«, fragte ich ihn übertrieben höflich.

»Das werde ich Ihnen nicht sagen«, antwortete er überrumpelt, weil er mit meinen Widerworten nicht gerechnet hatte. »Dann würden Sie nur zu einem anderen Mittel greifen.«

»Na, hören Sie mal, wenn Sie mich hier schon beschuldigen, sollten Sie das auch beweisen können«, verteidigte ich mich.

Daraufhin verschwand er und kam nie wieder.

Die gleiche Anschuldigung musste ich mir nun von der Asiatin anhören und verteidigte mich auf ähnliche Weise.

»Was für Zeug soll das denn sein?«, forderte ich sie heraus.

»Weiß nicht«, sagte sie. »Aber Sie geben etwas!«

»Also, glauben Sie wirklich, er würde hier täglich mit mir abhängen, wenn ich ihn unter Drogen setzen würde?«, fragte ich. »Er wäre mir doch schon lange davongelaufen. Schließlich kann ich ihm nicht hier vor allen Leuten etwas einflößen, oder?«

»Pf«, schnappte sie und machte auf dem Absatz kehrt. »Das ist nicht gut, nicht gut«, moserte sie weiter, bevor sie in der Menge untertauchte.

Immer wieder begegneten mir Leute, die den Verdacht äußerten, ich würde Bob schlecht behandeln. Etwa zwei Wochen nach dem Streit mit der Chinesin hatte ich eine weitere Auseinandersetzung wegen Bob, auch zu einem immer wiederkehrenden Thema.

Von Anfang an gab es auch in Covent Garden immer wieder Angebote, mir Bob abzukaufen. Irgendein Wildfremder kam dann auf mich zu und fragte: »Wie viel willst du für die Katze?« Wofür hielten die mich eigentlich? Für ein herzloses Monster?

Auch an der Angel Station blieb ich von solchen Angeboten nicht verschont. Eine Frau war besonders hartnäckig und versuchte immer wieder, mir Bob abzuschwatzen. Wenn sie vorbeikam, verwickelte sie mich jedes Mal in ein banales Gespräch, dem ich nicht ausweichen konnte, weil ich ein höflicher Mensch bin. Dabei führte jede dieser Plaudereien zu ihrem wahren Anliegen: »Schau mal, James«, kam sie früher oder später zum Punkt: »Bob sollte nicht mit dir auf der Straße herumlungern müssen. Er sollte ein schönes, warmes Zuhause haben. Er verdient ein besseres Leben. Wie viel willst du für ihn haben? Hundert Pfund? Fünfhundert?«

Eines Abends stakste sie wild entschlossen auf mich zu und kam ohne die üblichen Floskeln gleich zur Sache: »Ich gebe dir tausend Pfund für Bob.«

Ich sah sie lange an.

Dann stellte ich ihr eine Frage: »Haben Sie Kinder?«

»Äh, ja, schon«, stotterte sie, etwas aus der Fassung gebracht.

»Okay, wie viel wollen Sie für Ihr jüngstes Kind haben?«

»Was soll die Frage?«

»Ich möchte Ihr jüngstes Kind kaufen. Wie viel?«

»Was hat das damit zu tun?«, fing sie an, sich aufzuregen.

Als sie Luft holte, unterbrach ich sie: »Aber genau darum geht es. Bob ist mein Kind. Wenn Sie mich fragen, ob ich ihn verkaufe, ist das für mich genau so, als würden Sie Ihr Kind verkaufen müssen.«

Sie starrte mich entgeistert an. Dann drehte sie sich um und stürmte davon. Auch sie kam nie wieder.

Im Gegensatz zu diesen seltsamen Gestalten machten die Mitarbeiter der Angel Station dem Namen ihrer U-Bahn-Station alle Ehre. Sie waren Engel. Eines Tages unterhielt ich mich mit Leanne, einer der Kontrolleurinnen.

»Unsere Haltestelle wird dank Bob noch berühmt«, sagte sie lachend, weil sie mitbekam, wie viele Leute stehen blieben, um Bob zu fotografieren.

»Sieht so aus«, stimmte ich ihr zu. »Ihr solltet ihn einstellen, so wie diese Katze in Japan, die als Stationsvorsteher arbeitet. Sie hat sogar ihre eigene Uniform-Mütze.«

Leanne kicherte: »Hm, ich weiß nicht, ob gerade eine Stelle frei ist.«

»Na, dann sollte er wenigstens einen Ausweis oder so was Ähnliches kriegen«, scherzte ich.

Sie sah mich nachdenklich an und lächelte. Kurz darauf verabschiedete sie sich, um zur Arbeit zu gehen.

Ein paar Wochen später, als Bob und ich abends noch vor dem U-Bahnhof saßen, tauchte Leanne wieder auf. Ihr breites Grinsen machte mich neugierig.

»Was ist los?«, fragte ich.

»Nichts. Ich habe da nur etwas für Bob.« Dabei zog sie einen laminierten Fahrausweis mit Bobs Foto aus der Handtasche.

»Der ist ja cool«, rief ich überrascht.

»Das Foto habe ich aus dem Internet«, erklärte sie mir. *Wie seltsam, was hatte Bob im Internet zu suchen?*

»Mit diesem Ausweis kann Bob jederzeit kostenlos mit der U-Bahn fahren«, erklärte sie mir freudestrahlend.

»Ich dachte, Katzen brauchen sowieso nicht zu bezahlen«, neckte ich sie.

»Na ja, eigentlich bedeutet der Ausweis auch nur, dass alle Mitarbeiter hier Bob lieben und er zu unserer großen Familie gehört.«

Ihre Worte waren so rührend, dass mir fast die Tränen kamen.

Kapitel 28
In großen Schwierigkeiten

Wenn man auf den Straßen von London lebt oder arbeitet, entwickelt man ein feines Gespür für Menschen, die man unbedingt meiden sollte. Eines Abends gegen sieben Uhr, meiner Hauptgeschäftszeit, kam mir genau so ein Kerl an der Angel Station in die Quere.

Er hatte sich mit ein paar Kumpanen nicht weit von uns niedergelassen und sah ziemlich verwahrlost aus. Seine Haut war rot und fleckig, und seine Kleidung war so dreckig, das sie von allein hätte stehen können. Aber es war sein Hund, ein riesiger schwarzbrauner Rottweiler, der mich am meisten beunruhigte. Mit diesem Hund war nicht gut Kirschen essen, das sah ich sofort.

Als der Rottweiler Bob entdeckt hatte, zog er ungestüm an der Leine und war ganz offensichtlich wild darauf, sich auf Bob zu stürzen. Sein Besitzer hatte den Hund zwar unter Kontrolle, aber wie lange noch?

Ich wollte Bob und mich schnell in Sicherheit bringen.

Sofort sammelte ich die *Big-Issue*-Exemplare, die um mich herum ausgebreitet lagen, ein und stopfte sie zusammen mit anderem Kleinkram in meinen Rucksack. Ein lautes, durchdringendes Bellen ließ mich innehalten.

Ich drehte mich um und sah einen schwarzbraunen Blitz auf Bob und mich zustürmen. Der Rottweiler hatte sich losgerissen.

Ich musste Bob beschützen! Ich stellte mich vor meinen kleinen Freund, aber dieses Monster rannte mich einfach um. Ich lag auf dem Boden, hatte die Arme um den Hund geschlungen und brüllte um Hilfe. Gleichzeitig versuchte ich ihn am Kopf zu packen, damit er mich nicht beißen konnte. Aber dieses Vieh war einfach zu stark.

Der Besitzer war meine Rettung:

»Komm sofort her!«, brüllte er und riss seinen Hund mit aller Kraft an der Leine zurück. Dann schlug er ihm mit irgendwas Hartem auf den Kopf. Mir wurde ganz schlecht von dem dumpfen Geräusch. Unter anderen Umständen hätte ich mir Sorgen um das arme Tier gemacht, aber momentan war Bob wichtiger. Er hatte sich bestimmt zu Tode erschreckt.

Ich drehte mich zu ihm um – sein Platz war leer.

Vielleicht hatte ihn jemand hochgehoben, um ihn zu beschützen. Suchend drehte ich mich langsam im Kreis, aber ich konnte ihn nirgends entdecken. Er war verschwunden.

Mir blieb fast die Luft weg vor Schreck.

»Hat irgendjemand Bob gesehen?«, keuchte ich.

»Ich! Er ist Richtung Camden-Passage davongerast«, meldete sich eine ältere Dame, eine Stammkundin, die Bob oft mit Leckereien verwöhnte. »Ich habe noch versucht, auf die Leine zu treten, aber er war zu schnell.«

»Danke«, rief ich ihr zu.

Dann schnappte ich meinen Rucksack und rannte los. Mein Herz raste vor Angst um mein Rotpelzchen.

Ich dachte daran, wie Bob damals am Piccadilly Circus weggelaufen war. Da hatte ihn ein Mann in einem monströsen Kostüm erschreckt. Diesmal war es viel schlimmer, denn er war wirklich in Gefahr gewesen. Wenn ich mich nicht dazwischengeworfen hätte, wäre der Rottweiler mit Sicherheit über ihn hergefallen. Bob fühlte sich in diesem Moment bestimmt genauso panisch und hilflos wie ich.

Ich rannte direkt zur Camden-Passage. Dabei versuchte ich, all den Menschengruppen rund um die Pubs, Bars und Restaurants auszuweichen.

»Bob! Bob!«, rief ich immer wieder und wurde dafür von den Passanten dumm angeglotzt. »Hat irgendjemand einen roten Kater gesehen, der eine Leine hinter sich herschleift?«, fragte ich ein paar Leute vor einem Pub.

Aber sie schüttelten den Kopf oder zuckten ratlos mit den Schultern.

Meine Hoffnung war, dass Bob sich in einem Laden verkriechen würde wie damals am Piccadilly Circus. Aber die meisten hatten bereits geschlossen. Nur noch die Bars, Restaurants und Pubs waren geöffnet.

Wenn Bob tatsächlich in dieser Richtung unterwegs war, würde er bald an der Hauptstraße ankommen. Zwar kannte er die Gegend, aber alleine und noch dazu im Dunkeln war er da noch nie unterwegs gewesen.

Ich war schon völlig verzweifelt, als ich in der Nähe von Islington Green eine Frau traf, die Bob gesehen hatte. Sie zeigte die Straße hinunter.

»Eine rote Katze ist da entlanggelaufen«, berichtete sie mir. »Die ist abgegangen wie eine Rakete. Es sah aus, als wollte sie die Straße überqueren.«

Bob liebte die kleine Grünanlage von Islington Green. Sie war sein Jagdrevier und Katzenklo. Dort stand donnerstags auch immer die Tierambulanz des Blue Cross. Vielleicht war er dort hingeflüchtet.

Ich lief schnell über die Straße in den kleinen Park. Ich kniete mich hin, um besser unter den Büschen nachsehen zu können. Es war bereits so dunkel, dass ich kaum noch die Hand vor meinen Augen sehen konnte. Aber ich hoffte, dass mir ein Paar aufblitzende Kateraugen auffallen würden. Leider nichts.

Ich durchquerte den ganzen Park und rief mehrmals seinen Namen: »Bob! Bob, Kumpel, ich bin's!«

Aber ich bekam keine Antwort. Das einzige Geräusch, das ich wahrnahm, war der dröhnende Lärm des Feierabendverkehrs, der am Park vorbeirauschte.

Am anderen Ende lag die *Waterstone*-Buchhandlung, die Bob und ich oft besuchten. Alle Mitarbeiter kannten und mochten Bob sehr. Inzwischen griff ich nach jedem Strohhalm, den ich finden konnte. Vielleicht hatte er sich ja in den Buchladen geflüchtet.

Drinnen war nichts mehr los, die Verkäufer bereiteten schon alles für den Ladenschluss vor. Nur noch ein paar wenige Kunden standen suchend vor den Regalen.

Schwitzend und völlig außer Atem stand ich im Laden und wusste nicht weiter.

»Alles in Ordnung?«, fragte mich eine Verkäuferin hinter der Kasse, die ich vom Sehen kannte.

»Ich habe Bob verloren«, keuchte ich. »Ein Hund hat uns angegriffen und Bob ist weggelaufen. Er ist nicht hier, oder?«

»Oh nein«, rief sie bestürzt aus. »Ich war die ganze Zeit hier, aber ich habe ihn nicht gesehen. Das tut mir so leid. Wenn wir ihn sehen, werden wir gut auf ihn aufpassen«, versicherte sie mir.

»Danke«, brachte ich mühsam hervor.

Als ich wieder draußen in der Dunkelheit stand, traf mich die Erkenntnis mit voller Wucht:

Ich hatte Bob verloren.

Kapitel 29
Die längste Nacht

Benommen schlurfte ich die Hauptstraße entlang. Als ein Bus Richtung Tottenham an mir vorbeifuhr, hatte ich noch eine letzte verzweifelte Idee. Er würde doch nicht …? Oder doch?

»Entschuldigung, haben Sie vielleicht eine Katze gesehen, die in den Bus gesprungen ist?«, fragte ich einen Kontrolleur an der nächsten Haltestelle.

Ich kannte Bob und wusste, dass er schlau genug dafür war. Aber der Mann sah mich an, als hätte ich ihn gefragt, ob ein Außerirdischer in den Bus der Linie 73 eingestiegen wäre. Er schüttelte den Kopf und wandte sich ab.

Katzen haben einen hervorragenden Orientierungssinn und sind dafür bekannt, auch aus großer Entfernung nach Hause zu finden. Aber dass Bob aus der Innenstadt zurück nach Tottenham finden würde, hielt ich für ausgeschlossen. Das waren mehr als fünf Kilometer, und wir sind die Strecke nie gelaufen, sondern immer nur mit dem Bus gefahren. Diese Hoffnung konnte ich gleich wieder begraben.

In der nächsten halben Stunde fuhren meine Gefühle Achterbahn.

Er wird nicht weit kommen, bis ihn jemand findet, versuchte ich mir einzureden. *Er ist bekannt wie ein bunter Hund bei den Anwohnern. Und auch wenn der Finder ihn nicht kennt, wird er sehen, dass er gechippt ist. Ich werde ihn zurückbekommen.*

Aber wieder überfiel mich der eine schreckliche Gedanke: *Er ist weg, du wirst ihn nie wiedersehen.*

Über eine Stunde lang lief ich auf der Hauptstraße auf und ab. Inzwischen war es stockdunkel und ich war völlig überfordert. Ich wusste nicht, wohin oder was ich als Nächstes tun sollte. Ohne darüber nachzudenken, zog es mich Richtung Dalston, wo meine Freundin Belle wohnte.

In einer Seitengasse sah ich kurz einen Katzenschwanz aufblitzen. Er hatte gar nichts mit Bob gemeinsam, war viel dünner und vor allem schwarz, aber ich war so verzweifelt, dass ich nicht mehr klar denken konnte.

»Bob?«, brüllte ich und tauchte in die dunkle Gasse ab. Aber die dazugehörige Katze hatte längst das Weite gesucht. Ich wartete ein paar Minuten und schlurfte dann unendlich enttäuscht weiter.

Das abendliche Verkehrschaos hatte sich aufgelöst und mir fiel plötzlich auf, dass man die Sterne am Himmel sehen konnte. Kein Vergleich zum australischen Nachthimmel, aber für London doch sehr beeindruckend.

Da hast du ja wieder totalen Mist gebaut, alles total versaut, schimpfte ich mit mir.

War mein langer Urlaub in Australien schuld? Hatte meine Abwesenheit unser inniges Verhältnis angeknackst? Vielleicht zweifelte Bob seither an unserer Freundschaft? Warum hatte er seinem persönlichen Bodyguard nicht vertraut, als der Rottweiler angriff? Am liebsten hätte ich geschrien und getobt, so traurig und verzweifelt war ich.

Als ich in die Straße einbog, in der Belle wohnte, war ich den Tränen nahe. Wie sollte ich ohne Bob weiterleben? Einen Begleiter wie ihn würde ich nie wieder finden.

Und plötzlich war sie wieder da: Zum ersten Mal seit Jahren

überwältigte mich das altbekannte Verlangen nach einem Schuss Heroin.

Wenn ich Bob wirklich verloren hatte, könnte ich das nicht ertragen. Ich würde den Schmerz, der mich fast in die Knie zwang, irgendwie betäuben müssen.

Belles Mitbewohnerin nahm noch Drogen. Je näher ich ihrer Wohnung kam, desto schrecklicher wurden die Gedanken in meinem Kopf.

Es war fast zehn Uhr abends. Ich irrte nun schon seit ein paar Stunden durch die Stadt. Irgendwo heulte eine Polizeisirene. Wahrscheinlich waren die Polizisten auf dem Weg zu einer Schlägerei. Aber mir war alles egal.

Als ich den Weg zu dem schlecht beleuchteten Eingang von Belles Mietshaus einschlug, sah ich die Silhouette einer Katze, die ruhig im Schatten neben dem Eingang saß.

Aber ich hatte die Hoffnung bereits aufgegeben. *Wahrscheinlich nur ein Streuner, der Schutz vor der Kälte sucht*, dachte ich. Aber plötzlich fiel ein Lichtstrahl auf sein Gesicht, dieses unverkennbare, schlaue Gesicht.

»Bob!«

Sein klägliches Miauen zerriss mir fast das Herz. Es klang wie damals, als ich ihm zum ersten Mal im Hausflur begegnet war.

»Wo warst du denn?«, schien er zu fragen. »Ich warte hier schon ewig auf dich.«

Ich hob ihn hoch und drückte ihn fest an mich.

»Du bringst mich noch um, wenn du immer wieder abhaust«, stöhnte ich erleichtert. Dabei versuchte ich mir vorzustellen, wie er dorthin gekommen war.

Natürlich! Bob war immer wieder mit mir bei Belle zu Besuch gewesen, und er hatte hier sechs Wochen am Stück verbracht, als ich weg war. Wohin hätte er sonst flüchten sollen? Wie dumm von mir! Warum war ich nicht selbst auf diese Idee gekommen? Aber wie hatte er es geschafft, hierherzufinden? Belles Wohnung war fast zweieinhalb Kilometer von der Angel Station entfernt. War er die ganze Strecke gelaufen? Und wie lange saß er wohl schon hier draußen in der Kälte?

Es war nicht mehr wichtig. Während ich ihn weiter kraulte und an mich drückte, leckte er mir die Hand. Seine Zunge war so rau wie Sandpapier. Er rieb sein Köpfchen an meinem Gesicht und kringelte seine Schwanzspitze ein.

Nach der ausgiebigen Begrüßung lief ich mit ihm die Treppen hoch zu Belles Wohnung. Mein Gemütszustand war von tiefster Verzweiflung in unendliche Freude umgeschlagen. Ich war der glücklichste Mensch der Welt.

»Willst du etwas zum Feiern?«, fragte mich Belles Mitbewohnerin mit einem Augenzwinkern.

»Nein, danke, kein Bedarf!«, antwortete ich und knuffte Bob, der mit einer Pfote spielerisch meine Hand kratzte.

Bob brauchte auch keine Drogen, um mit dem Leben klarzukommen. Er brauchte mich. Genauso wie ich ihn. Nicht nur heute, sondern solange er mir die Ehre gab, ein Teil meines Lebens zu sein.

Kapitel 30
Bob, der Big-Issue-Kater

Es war Ende März, die Sonne ging gerade unter und tauchte die Angel Station in dämmeriges Licht. Der Feierabendverkehr verstopfte die Islington High Street, und das Hupkonzert der ungeduldigen Fahrer wollte nicht enden. Auch auf den Gehwegen herrschte Chaos, weil sich ganze Horden von Menschen in die Bahnhofshalle hinein und genauso viele herausdrängelten. Die Stoßzeit war in vollem Gange und machte ihrem Namen alle Ehre.

Ich zählte gerade meine *Big-Issue*-Exemplare, um sicherzugehen, dass ich noch genug Vorrat für den abendlichen Ansturm hatte. Da bemerkte ich aus dem Augenwinkel eine kleine Gruppe von Jugendlichen, die sich um uns geschart hatte. Drei Jungs und zwei Mädchen. Sie sahen aus, als kämen sie aus Südamerika, Spanien oder Portugal.

Das war nichts Ungewöhnliches. Auch in Islington gab es eine Menge Touristen, und Bob zog sie an wie ein kleiner Magnet. Es verging kaum ein Tag, an dem Bob nicht von mindestens einer Reisegruppe umringt wurde.

Diese Jugendlichen fielen mir nur auf, weil sie über Bob sprachen, als würden sie ihn kennen.

»Ah, sí, Bob!«, sagte eines der Mädchen.

»Sí, sí, Bob, die Biiig-Issuuu-Katze«, sagte eine andere.

Wow, dachte ich, als mir ihre Worte klar wurden. *Woher wissen*

die seinen Namen? Er hat ja schließlich kein Schildchen um. Und wieso
Big-Issue-Katze?

»Woher kennt ihr Bob?«, fragte ich in der Hoffnung, dass wenigstens einer aus der Gruppe halbwegs Englisch sprach. Mein Spanisch war so gut wie nicht vorhanden.

»Oh, wir haben ihn auf YouTube gesehen«, erklärte mir einer der Jungs bereitwillig. »Bob ist sehr berühmt, oder?«

»Ist er das?«, fragte ich verblüfft. »Ich habe zwar schon gehört, dass es ein Video von ihm auf YouTube gibt, aber ich habe keine Ahnung, wer sich das ansieht.«

»Viele Leute, glaube ich«, sagte der Junge und lachte.

»Wo kommt ihr her?«, wollte ich wissen.

»España, Spanien.«

»Heißt das, die Leute in Spanien kennen Bob?«

»Sí, sí«, bestätigte mir ein anderer Junge aus der Gruppe heftig nickend. »*Bob es una estrella en España.* Er ist ein Star in Spanien.«

Das haute mich um.

Natürlich wusste ich, dass über die Jahre viele Menschen Fotos von Bob gemacht hatten. Egal, ob ich als Straßenmusiker oder *Big-Issue*-Verkäufer unterwegs war. Zum Spaß hatte ich mir schon überlegt, ob man ihn beim *Guinness-Buch der Rekorde* als meistfotografierte Katze der Welt anmelden sollte.

Manche Leute haben ihn auch gefilmt, entweder mit ihren Handys oder mit richtigen Videokameras. Und nun war ein ganzer Film von ihm auf YouTube?

Am nächsten Morgen ging ich sofort in die Bücherei und setzte mich vor einen der Computer.

Ich suchte nach »Bob Big Issue Cat«. Tatsächlich erschien ein Link zu YouTube, den ich anklickte. Ich staunte nicht schlecht, als gleich zwei Videoclips auftauchten.

»Hey, Bob, schau mal, der Junge hatte recht! Du bist ein Star auf YouTube.«

Bis zu diesem Moment war Bob an den Computerbildern nicht besonders interessiert gewesen. Es war ja kein Pferderennen. Aber als ich das erste Video anklickte und er mich sah und reden hörte, stellte er sich auf die Tastatur, um die Bilder ganz genau zu betrachten.

Als ich mir den ersten Clip namens »Bobcat and I« ansah, fiel es mir wieder ein: Ein Student der Filmhochschule hatte mich ein paar Tage mit seiner Kamera begleitet, als ich die *Big Issue* noch in Covent Garden verkauft hatte. Das waren richtig schöne Bilder von uns beiden. Wie wir in den Bus stiegen und die Straße entlanggingen. Der Film zeigte sehr gut, wie der ganz normale Alltag eines *Big-Issue*-Verkäufers aussah.

Das zweite Video war erst vor Kurzem an der Angel Station aufgenommen worden. Der Film hieß: »Bob, *The Big Issue* Cat«. Das war der, von dem die spanischen Jugendlichen gesprochen hatten. Dieses Video war mehr als hunderttausend Mal angeklickt worden. Unfassbar!

Bob war auf dem besten Weg, berühmt zu werden.

Das war mir nicht neu, denn es gab schon länger gewisse Anzeichen. Es kam immer öfter vor, dass jemand zu uns kam und fragte: »Ist das Bob? Ich habe von ihm gehört.« Oder: »Ist das der berühmte *Bobcat*?«

Vor ein paar Wochen hatte die Lokalzeitung *The Islington Tribune* einen Artikel über uns gebracht. Und ich wurde von einer Amerikanerin angesprochen, die in London als Agentin für große Verlage arbeitete: »Haben Sie schon einmal daran gedacht, ein Buch über Ihr Leben mit Bob zu schreiben?«, hatte sie mich gefragt.

Als ob ich das könnte!

Aber die Begegnung mit den spanischen Teenagern hatte mir gezeigt, dass Bob bekannter war, als ich dachte. Er war auf dem besten Weg, ein Katzenstar zu werden.

Ich konnte mir ein stolzes Grinsen nicht verkneifen.

»Bob hat mir das Leben gerettet«, hatte ich in einem der beiden Filme gesagt.

Zuerst fand ich den Ausspruch etwas übertrieben. Aber als Bob und ich die Bücherei verließen und die Straße entlangliefen, musste ich mir eingestehen: Das war die Wahrheit.

In den zwei Jahren, die Bob nun bei mir war, hat sich mein Leben total verändert. Als er mich traf, war ich ein Drogensüchtiger auf Entzug, der buchstäblich von der Hand in den Mund lebte. Ich war Ende zwanzig und mein Leben war sinnlos und ohne Freude. Ich hatte den Kontakt zu meiner Familie abgebrochen und so gut wie keine Freunde. Mein Leben war ein einziger Scherbenhaufen. Bob hat mir den Mut und die Kraft gegeben, viele dieser Scherben zu kitten. Inzwischen habe ich mein Leben wieder im Griff.

Meine Reise nach Australien konnte die Probleme, die ich in der Vergangenheit mit meiner Mutter hatte, zwar nicht ungeschehen machen, aber ich habe mich mit ihr vertragen. Mein Kampf gegen die Drogensucht war fast ausgestanden. Der Tag, an dem ich nicht mal mehr Subutex brauchen würde, rückte immer näher. Das Ende meiner Abhängigkeit war in Sicht. Es gab Zeiten, da hätte ich das nie für möglich gehalten.

Vor allem hatte ich endlich Wurzeln geschlagen. Meine kleine Wohnung in Tottenham gab mir die Sicherheit und Geborgenheit, nach der ich mich schon immer gesehnt hatte. Noch nie hatte ich so lange an einem Ort gewohnt. Ohne Bob wäre ich nicht da, wo ich heute bin.

Ich bin zwar kein Buddhist, aber ich mag die buddhistische Denkweise. Diese Religion bietet ein gutes Gerüst, auf dem man sein Leben aufbauen kann. Wie zum Beispiel Karma: Was du anderen antust, ob gut oder böse, kommt irgendwann zu dir zurück. Der Gedanke, dass Geben und Nehmen im Einklang stehen. Ich frage mich immer wieder, ob Bob meine Belohnung war für etwas Gutes, das ich irgendwann in meinem verkorksten Leben getan haben könnte.

Vielleicht kennen Bob und ich uns auch aus einem früheren Leben. Der Draht, den wir zueinander haben, diese innige Verbundenheit ist schon etwas ganz Besonderes.

Irgendjemand hatte mal zu uns gesagt: »Ihr zwei seid die Wiedergeburt von Dick Whittington und seiner Katze!« Nach der berühmten englischen Legende aus dem 14. Jahrhundert war Dick Whittington ein armer kleiner Junge, der es dank seiner Katze nicht nur zu Wohlstand, sondern sogar bis zum Oberbürgermeister von London brachte.

Wenn das so wäre, dann wäre Dick Whittington allerdings als Bob und seine Katze als James Bowen wiedergeboren worden. Nur so könnte ich mir das vorstellen.

Bob ist mein bester Freund. Er hat mich in ein anderes – in ein besseres Leben geführt. Er erwartet dafür keine besondere Gegenleistung. Er braucht nur jemanden, der für ihn sorgt. Und das tue ich.

Der Weg, der vor uns liegt, wird bestimmt nicht immer einfach sein. Probleme wird es weiterhin geben. Aber ich bin mir sicher, dass wir alle Schwierigkeiten meistern können – solange wir nur zusammen sind.

Jeder verdient eine zweite Chance. Bob und ich haben unsere genutzt …

Danksagung

Die Entstehung dieses Buches war eine unglaubliche Erfahrung und sehr viele Menschen waren daran beteiligt.

Zuallererst möchte ich mich bei meiner Familie bedanken, meiner Mutter und meinem Vater, weil sie mir diesen starken Willen vererbt haben, der mich auch durch die schwärzesten Tage meines Lebens getragen hat. Außerdem danke ich meinen Paten Merilyn und Terry Winters, die immer für mich da waren.

In all den Jahren, die ich auf den Straßen von London verbrachte, habe ich auch viele Menschen getroffen, die gut zu mir waren. Namentlich erwähnen möchte ich Sam, Tom, Lee und Rita, die *Big-Issue*-Vertriebsleiter, die mir aus so mancher Notlage geholfen haben. Außerdem die Streetworker Kevin und Chris, denen ich für ihre Geduld und ihr Verständnis danke. Dem Blue Cross und der RSPCA für ihre wertvolle Hilfe und Davika, Leanne und all den anderen Mitarbeitern der Angel Station, die Bob und mich immer unterstützt haben.

Herzlichen Dank auch an *Food for Thought* und *Pix* in der Neal Street, die immer eine heiße Tasse Tee für mich und ein Schälchen Milch für Bob übrig hatten. Genau wie Daryl im *Diamond Jacks* in Soho und die Schuster Paul und Den, die gute Freunde geworden sind. Auch Pete Watkins von *Corrupt Drive Records*, DJ Cavey Nik von *Mosaic Homes*, Ron Richardson und nicht zuletzt Peter Gruner von der *Islington Tribune*, der erste Journalist, der über Bob und mich berichtet hat, möchte ich erwähnen.

Dieses Buch wäre ohne meine Agentin Mary Pachnos nie zustande gekommen. Es war ihre Idee – die ich anfangs für ziemlich verrückt hielt. Ohne sie und den Autor Garry Jenkins hätte ich es nicht geschafft, unserer Geschichte die richtige Form zu geben. Ich danke euch von Herzen, Mary und Garry. In meinem Verlag *Hodder & Stoughton* danke ich vor allem Rowena Webb, Ciara Foley, Emma Knight und dem gesamten wunderbaren Team. Vielen Dank auch an Lucy Courtenay, die diese Version des Buches so wunderbar verkürzt hat. Mein Dank gilt auch Alan und seinen Mitarbeitern in der *Waterstone*-Buchhandlung in Islington, die Garry und mir erlaubten, in ihren Büroräumen im ersten Stock an diesem Buch zu arbeiten. Ein großes Dankeschön auch an Kitty, ohne deren Unterstützung wir beide nicht durchgehalten hätten.

Ich möchte auch noch Scott Hartford-Davis und dem Dalai Lama danken, die mir in den letzten Jahren eine wunderbare Lebensphilosophie eröffnet haben, nach der es sich gut leben lässt.

Zu guter Letzt, aber keinesfalls als Letztem, möchte ich dem kleinen Rotpelzchen danken, das 2007 in mein Leben trat und das von Anbeginn unserer Freundschaft die treibende Kraft in meinem Leben war. Ich wünsche jedem Menschen einen Freund wie Bob. Ich hatte großes Glück, ihn zu finden …

James Bowen
London, im Oktober 2012

James Bowen ist Straßenmusiker und lebt in London. Er fand Bob, den Streuner, im Frühling 2007. Seitdem sind die beiden Freunde unzertrennlich.

Neuigkeiten und Informationen über James und Bob findet ihr unter:

www.luebbe.de oder auf Bobs deutscher Facebook-Seite *Bob, der Streuner* oder auf James' internationaler Facebook-Seite *James Bowen & Streetcat Bob*.

Auf Tour mit einer Band
– ein echter Mädchentraum

Britta Sabbag
STOLPERHERZ
208 Seiten
ISBN 978-3-414-82381-6

Sanny kann ihr Glück kaum fassen: Ausgerechnet Greg, der coole Bassist der Schulband Crystal, lädt sie ein, bei der letzten Probe vor den Sommerferien dabei zu sein. Doch es kommt noch besser: Die Jungs fragen sie, ob sie Lust hat, die Band auf ihrer Tour zu begleiten. Bisher war Sanny immer nur das unscheinbare Mädchen mit dem Stolperherzen, so genannt, weil sie mit einem Herzfehler geboren wurde. Doch Sanny zögert nicht lange – tischt ihrer Mutter kurzerhand eine Lüge auf und steht am nächsten Morgen pünktlich am Treffpunkt. Und einmal unterwegs beginnt für Sanny die aufregendste Zeit ihres Lebens ...

Boje